101 TRUCS ET CONSEILS

Le TENNIS

PRO

101 TRUCS ET CONSEILS

Le TENNIS

Paul Douglas

36, rue Fontaine – 75009 PARIS

UN LIVRE DE DORLING KINDERSLEY

Première édition en Grande-Bretagne en 1996 par
Dorling Kindersley Limited
9, Henrietta Street, Londres

Dépôt légal : Mars 1996
Traduction : Jean-Luc Dumont - Agence 3i
Composition, mise en page : Studio Michel PLUVINAGE
Imprimé en Italie

ISBN 2 9106 3559 7

Cet ouvrage a été conçu pour les droitiers,
il suffit d'inverser les commentaires pour les gauchers.

36, rue Fontaine - 75009 Paris
Tél. (1) 49 70 15 55

101 TRUCS ET CONSEILS

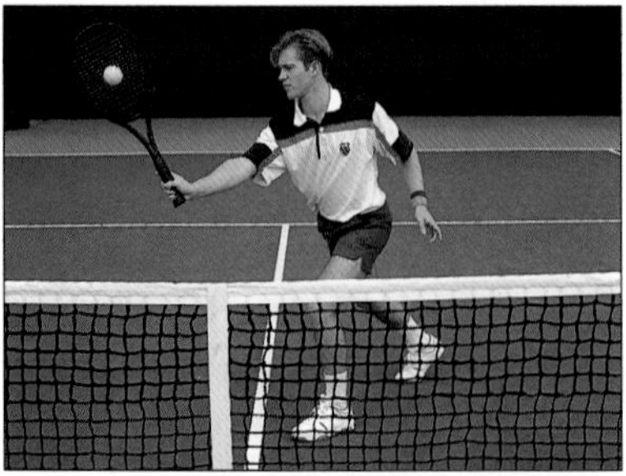

PAGES 52 à 55

LA VOLÉE DE REVERS

PAGES 56 à 61

LE LOB ET LE SMASH

PAGES 62 à 64

LA MONTÉE AU FILET

PAGES 65 à 69

LE MATCH DE TENNIS

INDEX

AVANT DE JOUER

1 QUELLE TENUE PORTER ?

Choisissez des vêtements de tennis confortables, en tissu léger. Évitez les shorts et les jupes trop ajustés à la taille. Les chemisettes doivent laisser toute liberté de mouvements aux épaules et aux bras.
Portez des socquettes à semelle et talon renforcés pour plus de confort et une meilleure protection.

TENUE POUR HOMMES

Chemisette de tennis

Bandeau pour garder le visage dégagé

Bandeau anti-transpiration pour poignet

Clip pour balle avec balle

Jupe de tennis

Socquettes renforcées pour se protéger les pieds

TENUE POUR FEMMES

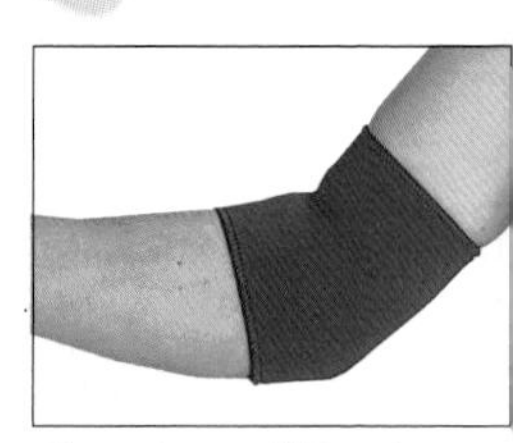

COUDIÈRE EN NÉOPRÈNE
Un bandage élastique qui procure chaleur et soutien pour soulager un coude douloureux.

2 LES CHAUSSURES

Choisissez de bonnes chaussures de tennis qui protégeront vos pieds et optimiseront votre jeu de jambes. Une bonne chaussure doit procurer souplesse et stabilité, tout en soutenant la voûte plantaire, la cheville et le tendon d'Achille.
Sélectionnez les chaussures en fonction de votre style de jeu et de la surface sur laquelle vous jouez le plus souvent. À chaque surface correspond un type de chaussures différent : les semelles lisses conviennent aux courts couverts, les semelles alvéolées sont recommandées pour l'herbe et les chevrons pour tout type de surface. Si vous devez vous contenter d'une seule paire de chaussures, prenez des multisports.

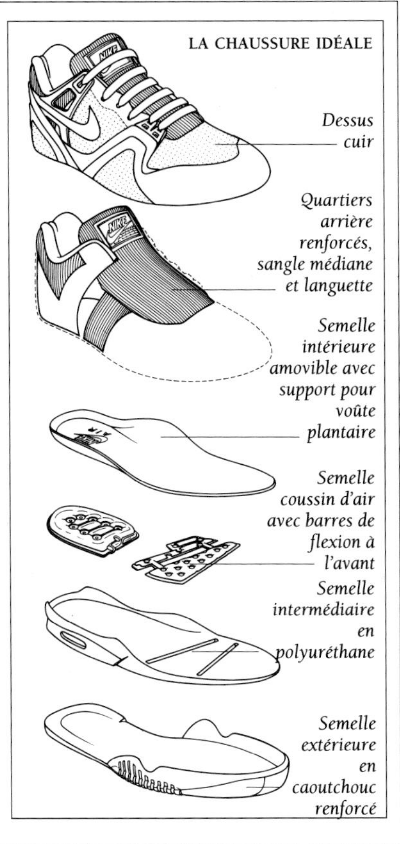

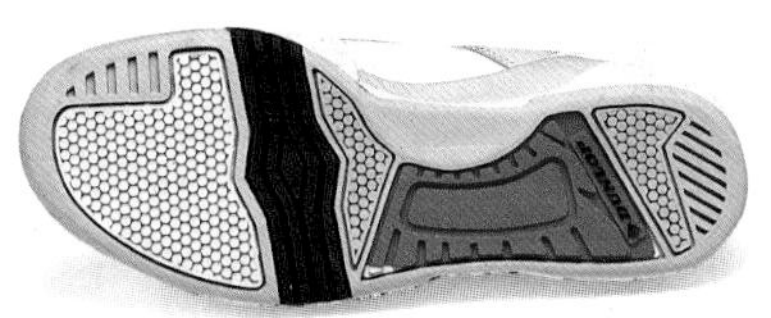

CHAUSSURE MULTISURFACE
Cette chaussure de tennis a une semelle multisurface qui permet au joueur d'être à l'aise sur herbe, terre et ciment.

3 QUELLES BALLES CHOISIR ?

Les balles de tennis homologuées pour les tournois sont soumises à des tests rigoureux. Choisissez toujours des balles de marques réputées qui sont vendues dans des boîtes pressurisées. Des balles de mauvaise qualité nuiraient à votre jeu. Pour des exercices d'entraînement avec un partenaire ou un canon à balles, des balles de moins bonne qualité sont suffisantes.

BALLES DE TENNIS

4 CHOISIR LA BONNE RAQUETTE

On trouve sur le marché des raquettes de formes et de tailles différentes.
La plupart sont des variantes du modèle à grand tamis.
Ces raquettes sont légères, résistantes et plus puissantes que les modèles à cadre classique. La tête profilée et la plus grande largeur du tamis offrent une maniabilité et une rigidité accrues. Pour l'achat d'une raquette, choisissez un modèle que vous tenez très bien en main.
Les débutants pourront choisir un modèle bon marché avant de passer à un cadre plus puissant.

LES MATÉRIAUX
Finies les raquettes en bois, aujourd'hui, les raquettes sont fabriquées en Kevlar, en graphite, en fibre de verre et en boron, combinant flexion et puissance. Les joueurs puissants préféreront des cadres plus rigides que les joueurs de toucher.

SUR-GRIP
Enroulez le sur-grip en diagonale , à partir du talon,pour mieux « sentir » la raquette.

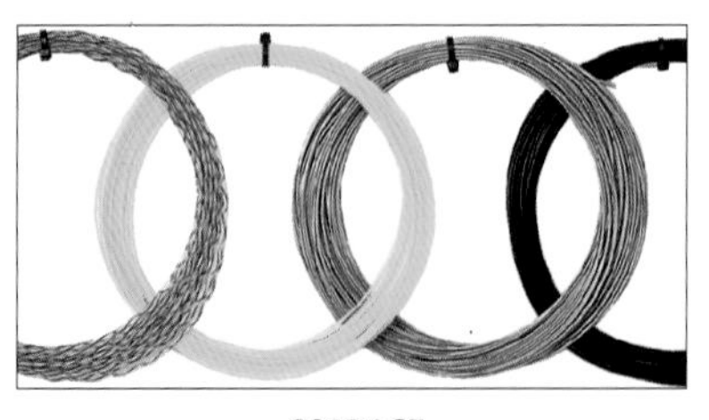

CORDAGE

5 CHOISIR LE CORDAGE

Les cordes de la raquette doivent être tressées uniformément dans le cadre de la raquette pour assurer une surface de frappe plane. Il existe deux types de cordage synthétique – le monofilament et le multifilament. Ce dernier est généralement supérieur.

6 LE CONTRÔLE DE LA BALLE

Entraînez-vous à faire rebondir la balle sur le tamis en changeant l'angle de la raquette pour frapper des coups différents, puis retournez la raquette pour donner le coup suivant avec l'autre face du tamis. Un exercice plus difficile consiste à faire rebondir la balle sur la tranche du cadre de la raquette. Ces deux exercices permettent de développer le contrôle de la balle et de renforcer le poignet.

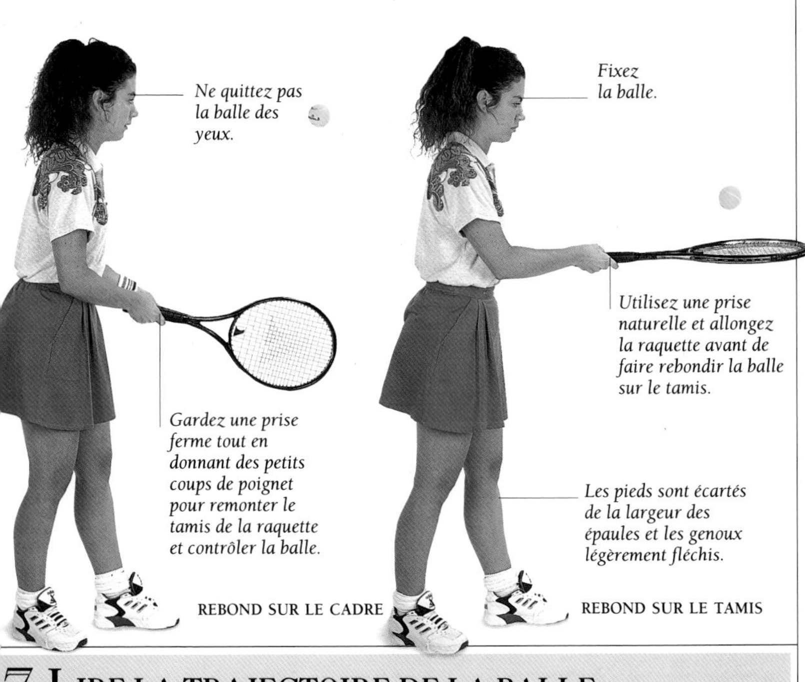

Ne quittez pas la balle des yeux.

Gardez une prise ferme tout en donnant des petits coups de poignet pour remonter le tamis de la raquette et contrôler la balle.

REBOND SUR LE CADRE

Fixez la balle.

Utilisez une prise naturelle et allongez la raquette avant de faire rebondir la balle sur le tamis.

Les pieds sont écartés de la largeur des épaules et les genoux légèrement fléchis.

REBOND SUR LE TAMIS

7 LIRE LA TRAJECTOIRE DE LA BALLE

Il est essentiel de bien juger la trajectoire de la balle quand elle vient vers vous. Cette capacité peut s'améliorer grâce à une série d'exercices simples qui s'effectuent avec un partenaire :

- Lancez-vous à tour de rôle une balle que chacun de vous doit attraper avant qu'elle ne rebondisse. Puis, pour développer votre lecture de la trajectoire de la balle, envoyez-vous la balle en la laissant rebondir avant la réception.
- Affûtez vos capacités en échangeant simultanément deux balles avec votre partenaire.
- Renvoyez, en frappant de la paume de la main, la balle lancée par votre partenaire. Cet exercice permet de développer le timing de vos coups au rebond pour frapper une balle descendante à une hauteur entre le genou et la taille.

8 JOGGING ET ÉTIREMENTS

Il faut toujours s'échauffer avant de jouer. Vous éviterez ainsi de vous blesser et serez mieux disposé mentalement pour jouer. Vos résultats s'en ressentiront également. Commencez par un jogging tranquille pour que votre pouls s'accélère, ensuite exécutez chaque exercice pendant 10 à 20 secondes, d'abord une jambe ou un côté puis l'autre, selon l'exercice. Les étirements doivent se faire sans forcer et avec plaisir. Recommencez la série d'exercices en prolongeant un peu plus chaque étirement. Le tennis est un sport qui requiert des déplacements rapides, il est donc important de faire un petit jogging et de consacrer 15 minutes aux étirements avant de jouer.

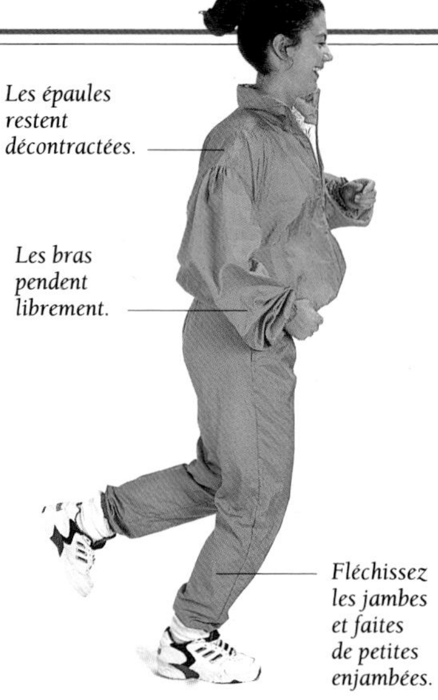

1 Faites jusqu'à cinq fois le tour du court, en courant lentement pour échauffer votre corps. Ajoutez des pas chassés et un peu de course à reculons, dans les deux derniers tours.

4 Étirez le milieu et le bas de la jambe en vous appuyant contre un mur et en étirant la jambe droite vers l'arrière. Poussez les hanches vers l'avant et étirez-vous.

5 Pour étirer les muscles du ventre, allongez-vous à plat ventre, bras étendus devant vous. Dressez-vous sur la paume des mains.

2 Pour étirer les muscles de la cuisse, avancez la jambe gauche en pliant le genou et en le maintenant au-dessus de la cheville. Abaissez le bassin et poussez vers l'avant.

3 Pour étirer le devant de la cuisse, placez la paume de votre main droite contre un mur, pliez le genou droit et attrapez votre pied avec la main droite.

6 Pour étirer bras et poignets, placez les mains au sol en pointant les doigts vers les genoux, pouces tournés vers l'extérieur.

7 Étirez votre corps en allongeant la jambe gauche sur le sol et en plaçant le pied droit de l'autre côté du genou gauche. Tournez-vous et regardez par-dessus votre épaule droite.

9 La mise en forme

Pour développer votre puissance musculaire et rester en bonne condition physique, effectuez régulièrement des exercices d'endurance : courez à un rythme régulier sur 1 km, tous les deux jours. Augmentez progressivement la vitesse et la distance. Pour la rapidité , « piquez » quelques petits sprints autour du court. Des exercices d'étirements, chaque jour, vous aideront à accroître votre souplesse.

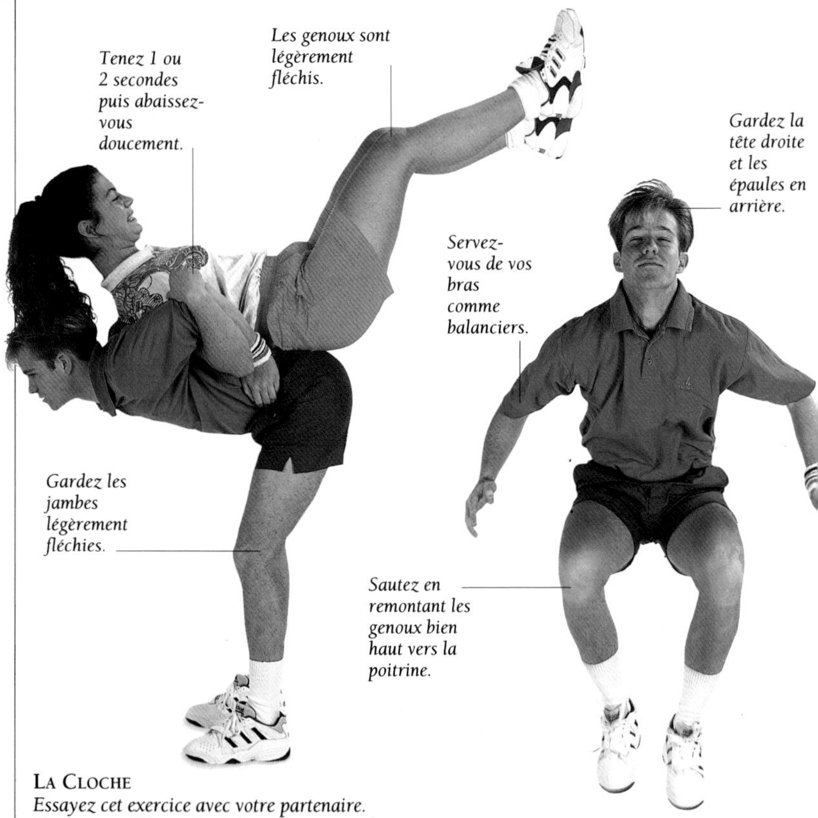

La Cloche
Essayez cet exercice avec votre partenaire. Tenez-vous debout, dos à dos, et nouez vos bras au niveau du coude. Ensuite, fléchissez les genoux, penchez le torse vers l'avant et soulevez votre partenaire sur votre dos. Cet exercice de la cloche permet de développer votre puissance.

1 Pour faire un saut groupé, tenez-vous debout, pieds joints. Accroupissez-vous puis sautez en l'air, en montant les genoux à la poitrine.

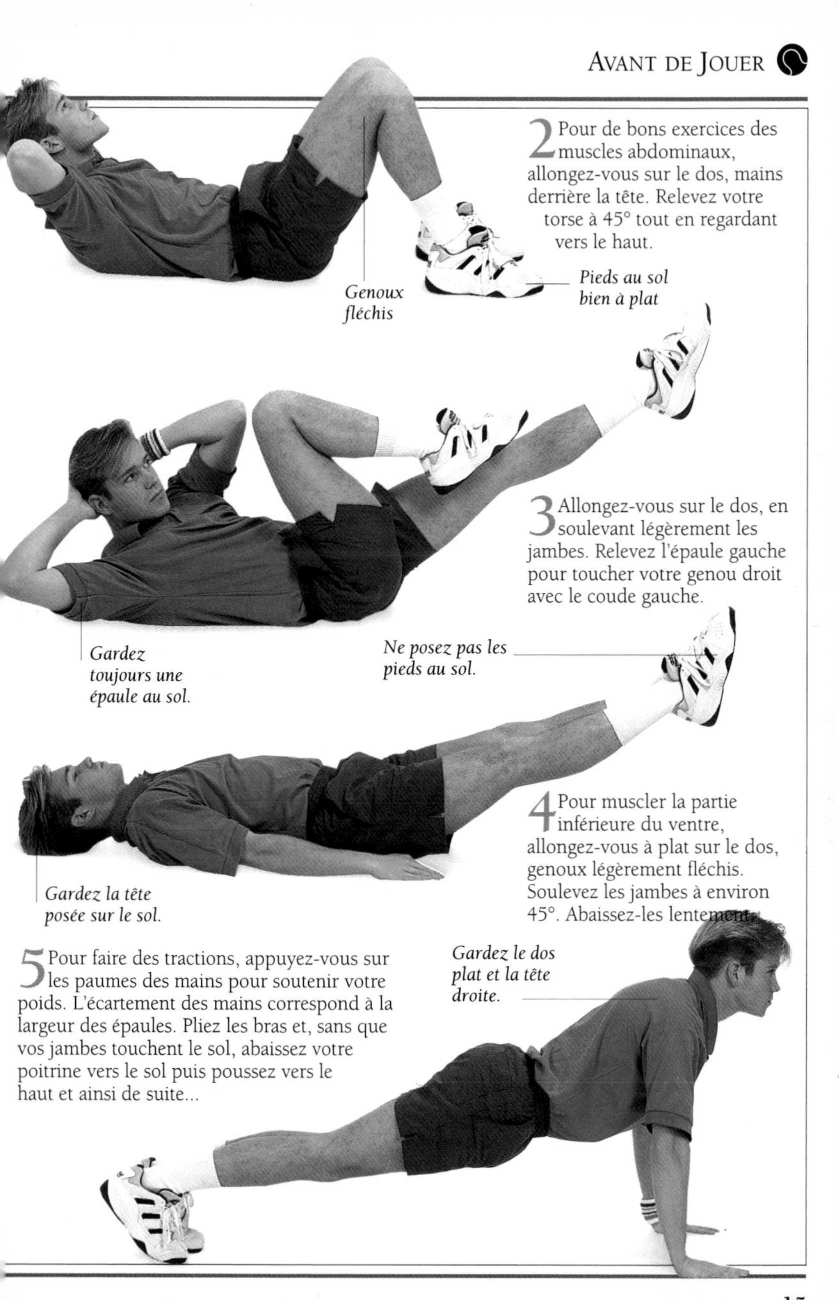

2 Pour de bons exercices des muscles abdominaux, allongez-vous sur le dos, mains derrière la tête. Relevez votre torse à 45° tout en regardant vers le haut.

Genoux fléchis

Pieds au sol bien à plat

3 Allongez-vous sur le dos, en soulevant légèrement les jambes. Relevez l'épaule gauche pour toucher votre genou droit avec le coude gauche.

Gardez toujours une épaule au sol.

Ne posez pas les pieds au sol.

4 Pour muscler la partie inférieure du ventre, allongez-vous à plat sur le dos, genoux légèrement fléchis. Soulevez les jambes à environ 45°. Abaissez-les lentement.

Gardez la tête posée sur le sol.

5 Pour faire des tractions, appuyez-vous sur les paumes des mains pour soutenir votre poids. L'écartement des mains correspond à la largeur des épaules. Pliez les bras et, sans que vos jambes touchent le sol, abaissez votre poitrine vers le sol puis poussez vers le haut et ainsi de suite...

Gardez le dos plat et la tête droite.

SUR LE COURT

10 LE COURT

Il est nécessaire de bien connaître le court, ses lignes, sa surface et le filet, afin d'en tirer le maximum pour votre jeu. Le court est délimité par des lignes qui portent le nom de leur fonction. Les lignes de fond et les lignes de côté limitent la longueur et l'angle de vos drives et volées, alors que les lignes de service limitent la profondeur de votre service.

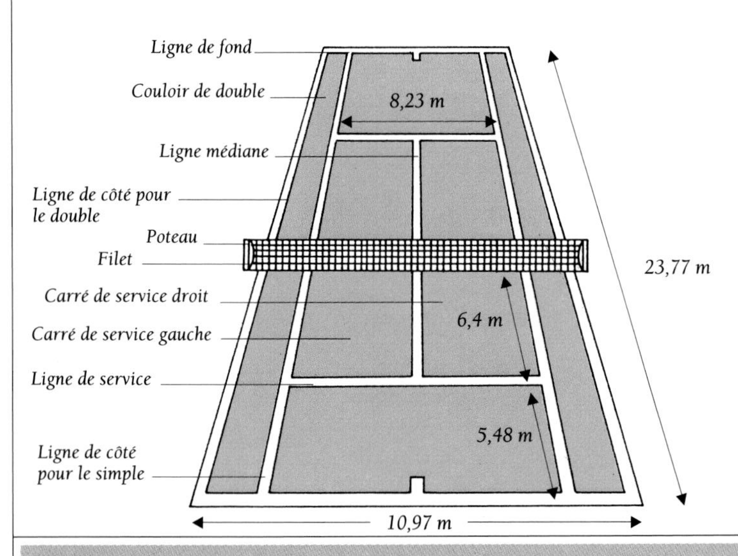

11 LA SURFACE

Il existe plusieurs types de surface pour les courts de tennis. Chacune d'elles produit des conditions de jeu différentes et influence nettement votre façon de jouer. Ce n'est qu'avec l'expérience que vous découvrirez votre surface de prédilection. Les quatre surfaces principales sont les suivantes :

- Le gazon est une surface rapide, mais son entretien est difficile. Le gazon artificiel peut donner un jeu rapide ou un jeu lent.
- La terre battue entraîne un jeu lent.
- Le ciment, suivant sa texture, peut donner un jeu lent ou rapide.
- L'asphalte ralentit le jeu ; enduit, il devient une surface rapide.

12 LE FILET

Le filet est plus qu'une simple barrière tendue au milieu du court ; c'est lui qui détermine votre jeu et le type de coup à jouer. C'est un obstacle à négocier à chaque coup ; votre tâche consiste à trouver la meilleure solution pour que votre balle le franchisse, tout en étant placée de telle sorte que le retour de votre adversaire soit faible ou qu'il ne puisse pas du tout contrôler la balle. Votre adversaire est confronté au même problème.

LE FILET DÉTERMINE LE JEU
Le filet étant plus bas de 16 cm au centre qu'au niveau des poteaux, jouez la plupart de vos coups au-dessus du milieu du filet.

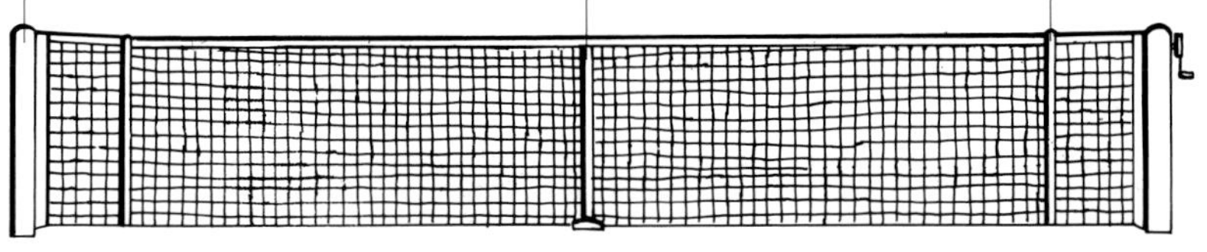

LE FILET DE TENNIS

13 LES APTITUDES MENTALES

Le tennis n'est pas un sport basé uniquement sur les capacités physiques, la technique et les tactiques de jeu. Au fur et à mesure que vous progresserez, vous découvrirez que 75 % du jeu se passe dans la tête. Pour l'améliorer, il est important que vous développiez les qualités suivantes :
- Concentration : apprenez à vous concentrer comme un champion.
- Confiance en soi : apprenez à anticiper le succès pour gagner de l'assurance.
- Motivation : votre envie de jouer et de gagner est à la mesure de vos progrès.

14 ENTRAÎNEMENT MENTAL

L'entraînement mental vous permet de renforcer vos capacités mentales de même que vous améliorez votre jeu en vous entraînant sur le court.
- Restez calme en contrôlant bien votre jeu et en vous répétant une phrase courte pour vous donner confiance.
- Lancez-vous des défis, fixez-vous des buts que vous pouvez atteindre par rapport à vos performances.
- Apprenez à vous concentrer : sur le service de votre adversaire ou sur la hauteur de la balle quand elle passe le filet.

15 La trajectoire de la balle

Lors de vos premiers échanges de balles, il sera peut-être difficile d'anticiper la trajectoire de la balle après le rebond. Essayez de juger où la balle va rebondir sur votre côté du court, mais évitez de vous précipiter vers elle. Placez-vous derrière le point de rebond, si possible à une distance confortable, afin de contrôler votre retour. Le service a également deux trajectoires alors que la volée n'en a qu'une.

Trajectoire de la Balle
Une balle a deux trajectoires : la première quand elle quitte la raquette de votre adversaire, la deuxième après le rebond dans votre côté du court.

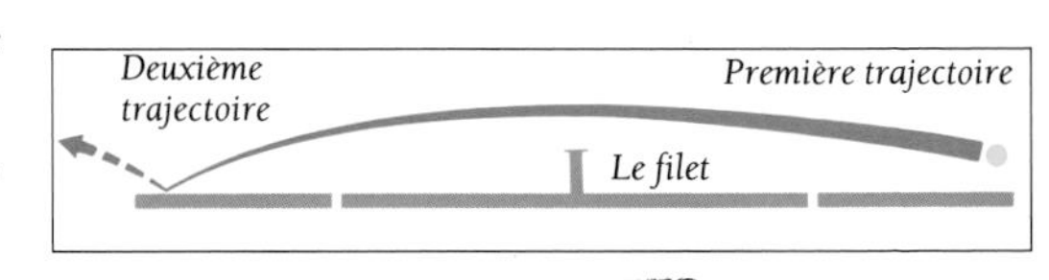

16 La position d'attente

Pour bien renvoyer la balle, vous devez avoir un bon jugement et des capacités de réception efficaces. Pour les développer, adoptez une position d'attente stable permettant de réagir instantanément. Tenez-vous face au filet en plaçant le poids de votre corps sur la plante des pieds et en tenant la raquette devant vous pour jouer aussi facilement sur le revers que sur le coup droit.

Vue de Côté
Penchez-vous pour que vos yeux soient à la hauteur du coup à jouer. Écartez les coudes pour un meilleur mouvement.

Regardez votre adversaire quand il joue son coup pour anticiper la vitesse et la direction de la balle.

Soutenez le cœur de la raquette.

L'écartement des pieds correspond à la largeur des épaules et assure la stabilité. Les genoux sont fléchis pour abaisser votre centre de gravité.

17 QUAND FRAPPER LA BALLE ?

Vous devez savoir exactement où et quand le tamis de votre raquette doit entrer en contact avec la balle. Ceci vous permet de placer votre corps par rapport à la balle pour assurer un contrôle et un timing parfaits.

- Pour les coups après le rebond, jouez la balle quand elle parvient à une hauteur située entre le genou et la taille. Au service, frappez la balle descendante, en étendant le bras qui porte la raquette par-dessus la tête.

Pour les volées, frappez la balle entre la taille et la hauteur de l'épaule.

- Alors qu'un drive et un service se jouent en allongeant le bras qui tient la raquette, la volée se joue plus près du corps.
- Par rapport à votre corps, la balle doit être à l'opposé de la hanche d'attaque pour le coup droit, devant votre hanche d'attaque pour le revers et devant vous

18 LA BIOMÉCANIQUE

La biomécanique est simplement l'étude des mouvements chez l'homme. Elle repose sur trois principes de base : l'utilisation des articulations, la stabilité et le fait que chaque action entraîne une réaction. L'élan, rectiligne ou rotatoire, vous aidera également à jouer un tennis puissant et contrôlé.

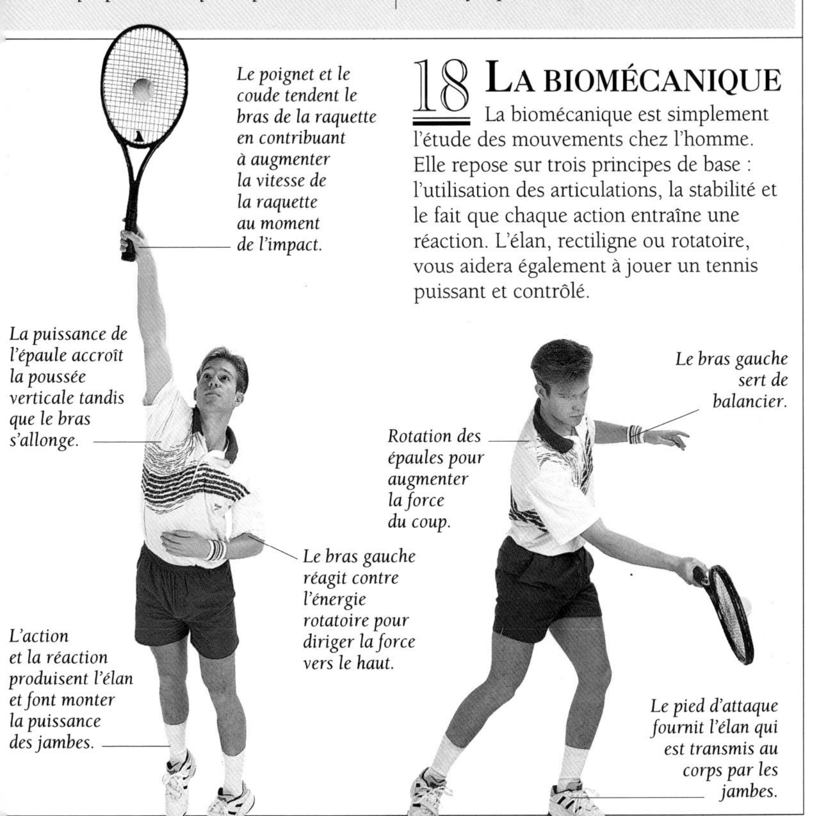

19 L'IMPORTANCE DE LA PRISE DE RAQUETTE

La façon dont vous tenez la raquette détermine votre jeu, car la lecture que vous faites de votre frappe, quand la balle quitte la raquette, est communiquée par votre prise.

- La prise de base est la prise eastern de coup droit. C'est comme si vous donniez une poignée de main à votre raquette, en plaçant la paume de la main derrière le grip de la raquette, pour avoir une prise confortable produisant un maximum de force pour frapper la balle.
- Au fur et à mesure que vous progresserez, vous pourrez choisir des prises différentes. Celles-ci vous seront présentées avec chaque nouveau coup.

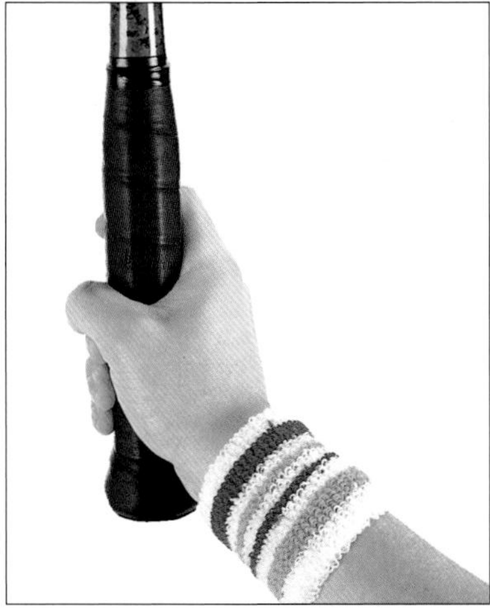

LA PRISE DE COUP DROIT EASTERN

20 LA RAQUETTE FRAPPE LA BALLE

Lors de l'impact, l'angle du tamis influence directement chaque coup. La balle reste au contact des cordes de votre tamis pendant cinq millièmes de seconde environ et elle part exactement dans la direction visée par le tamis de la raquette. Pour tous les coups ou presque, tenez le tamis de la raquette avec une inclinaison de 5 % par rapport à la verticale (sauf pour les lobs et les amortis).

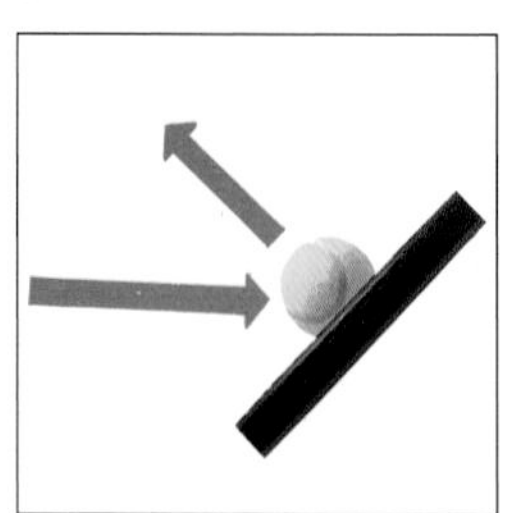

TAMIS OUVERT
La frappe à tamis ouvert envoie la balle vers le haut et donne un effet arrière.

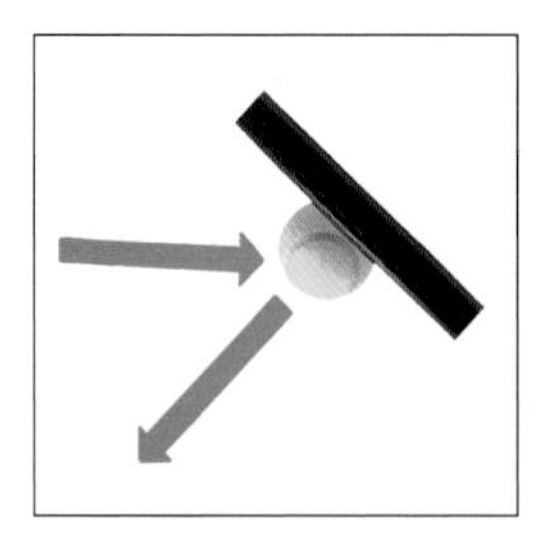

TAMIS FERMÉ
La frappe à tamis fermé envoie la balle vers le bas et donne un effet vers l'avant.

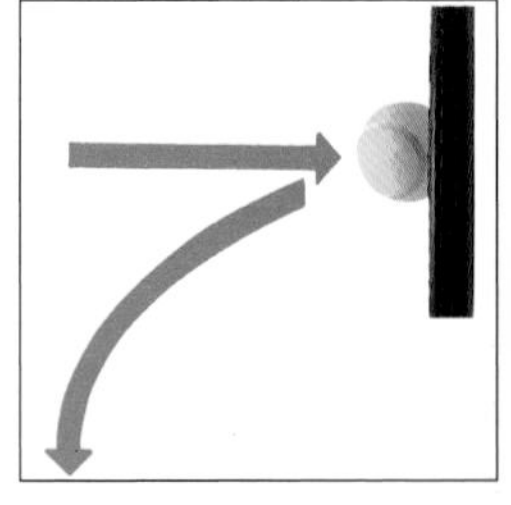

TAMIS À PLAT
La frappe à plat envoie droit une balle directe, avant que la gravité ne l'attire vers le bas..

21 L'EFFET

L'effet, c'est-à-dire la rotation imprimée à la balle, modifie considérablement la trajectoire de la balle dans l'air et au rebond. L'effet, lui-même, est différent suivant que la balle rebondit sur le court ou sur les cordes de votre raquette. Essayez les trois types d'effet et voyez comment chacun agit sur votre balle.

Pour un service slicé, inclinez légèrement le tamis de la raquette et frappez en haut et en travers du dos de la balle, de droite à gauche, pour produire un effet coupé latéral de droitier.

SERVICE SLICÉ

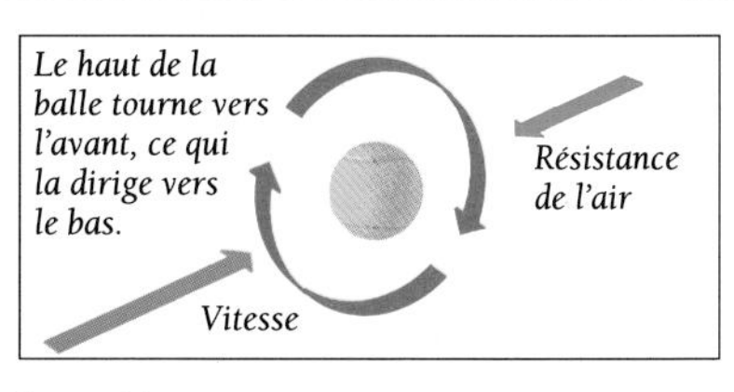

BALLE TOPSPINÉE
Balle brossée ou topspinée. Visez plus au-dessus du filet que vous ne le feriez pour un coup simple.

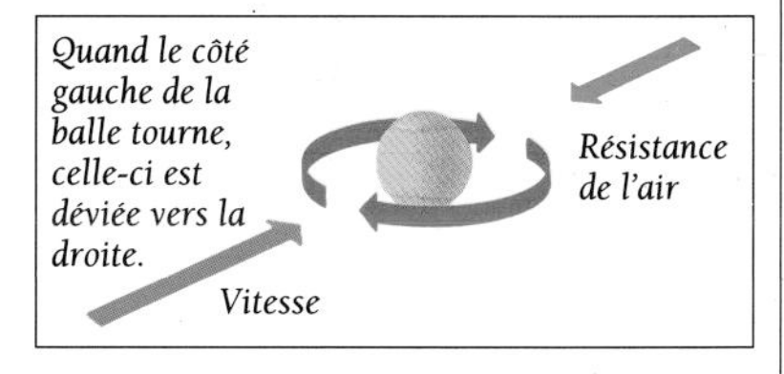

BROSSAGE LATÉRAL
Le brossage latéral est très utile pour le service ou pour les coups d'approche.

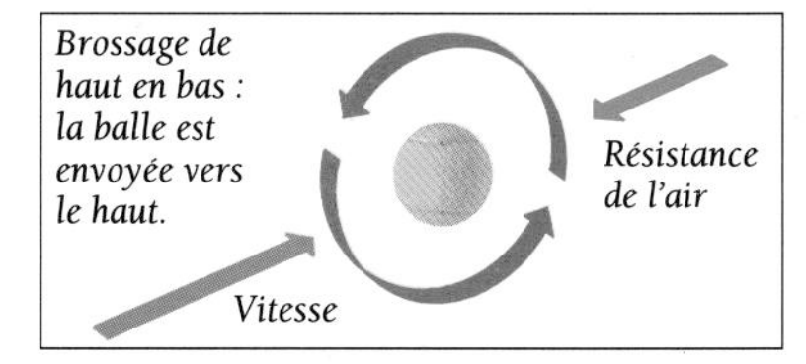

BALLE COUPÉE
Les balles coupées doivent être jouées plus près du filet que les drives simples, sauf s'il s'agit d'un lob coupé.

22 LES BALLES BICOLORES

Pour reconnaître facilement le type de l'effet que vous avez donné à votre balle, entraînez-vous avec des balles bicolores. Notez l'effet que chaque brossage imprime à la trajectoire de la balle.

BALLES BICOLORES

23 Tous les coups sont bons

Le coup est l'action de frapper la balle, alors que la frappe détermine la trajectoire et la destination de la balle après l'impact. De nombreux coups peuvent être produits avec des frappes différentes, et il est bon d'en apprendre quelques-uns afin d'améliorer votre jeu. Vous aurez plus de plaisir à jouer si vous variez vos coups, car cela vous permettra d'utiliser des tactiques différentes contre votre adversaire.

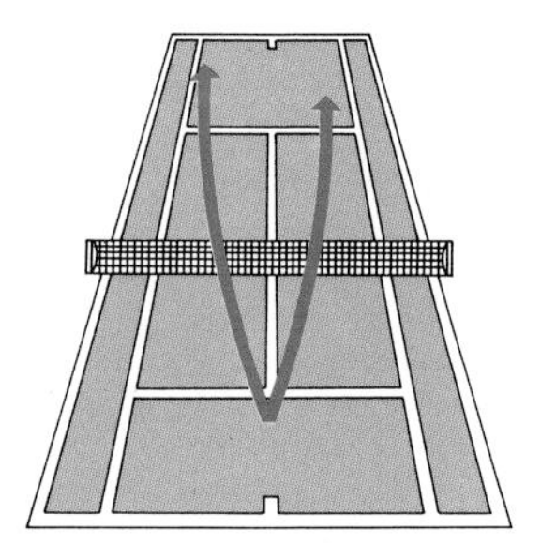

Coup d'Approche
Ce coup qui prépare la montée au filet peut se jouer dans n'importe quelle partie du court.

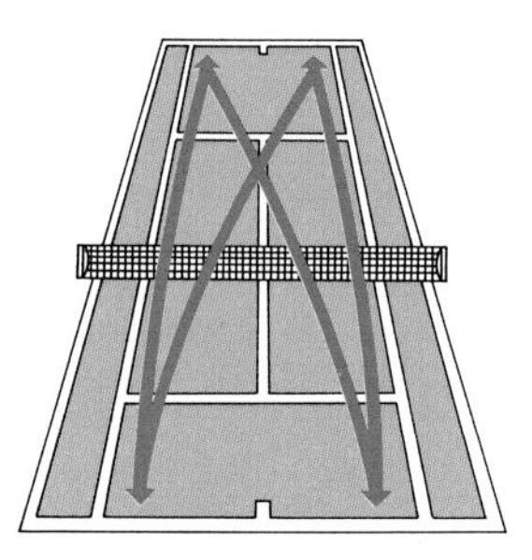

Coups Croisé et le Long de la Ligne
Ces deux coups font courir votre adversaire et le maintiennent en fond de court.

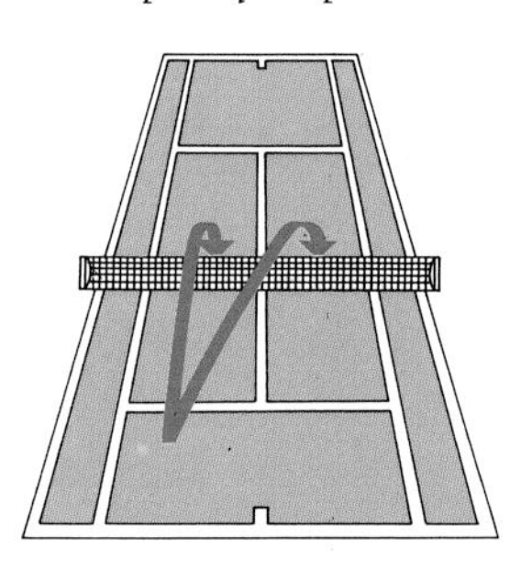

Amorti
Généralement coupé, l'amorti atterrit juste derrière le filet avec un faible rebond.

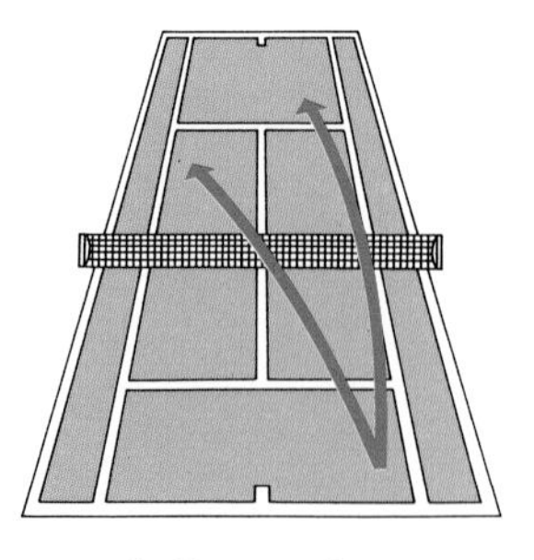

Le Passing Shot
Le passing shot n'a pas à être profond ; il suffit de le faire passer devant l'adversaire qui s'avance.

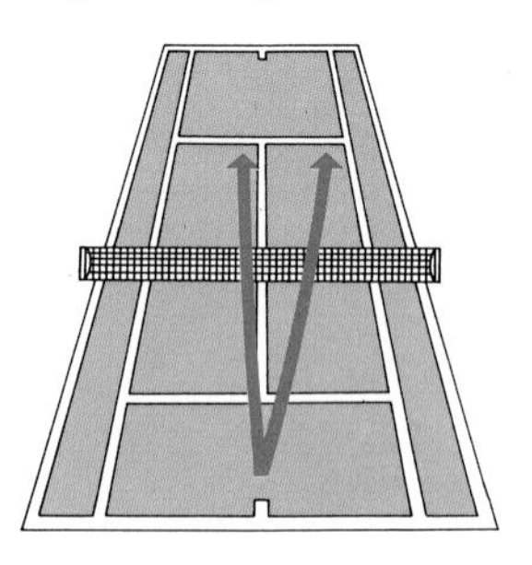

Coup Chopé
Piquez la balle dans les pieds de votre adversaire ou hors de sa portée quand il monte au filet.

LE COUP DROIT

24 LE COUP DROIT PARFAIT

La clé du drive de coup droit parfait consiste à adopter un jeu offensif dès le début. Si, d'entrée, vous avez envie d'attaquer la balle en coup droit, allez-y de bon cœur. Le coup droit est le principal coup après rebond du débutant comme du joueur confirmé ; c'est aussi le coup le plus naturel. Le drive de coup droit se joue d'un geste coulant qui vous permet de courir pour votre prochain coup ou de vous replacer.

Commencez la préparation de votre geste avant d'atteindre la zone de frappe.

Tournez-vous de profil et élancez-vous sur le pied que vous voulez.

Placez-vous parallèlement à la trajectoire de la balle et déroulez naturellement, tout en avançant vers la balle.

Après avoir frappé la balle, accompagnez sa trajectoire avec la raquette.

Après l'impact, ramenez le pied arrière pour vous élancer vers votre position suivante.

LA TRAJECTOIRE DE LA BALLE
Pour frapper un coup droit bien en profondeur vers la ligne de fond de court, visez environ 1 m au-dessus du filet.

25 La meilleure prise de coup droit

Votre prise de raquette définit votre style de jeu. Commencez par une prise naturelle qui permet à votre corps de s'exprimer en douceur. La prise de coup droit la plus naturelle est généralement la prise eastern, mais vous pourrez lui préférer trois autres prises.

La poignée ou grip de la raquette présente des chanfreins et des méplats qui vous aident à assurer votre prise. Parce que la position de vos pieds dépendra de votre prise, adoptez le placement qui correspond le mieux à la prise choisie.

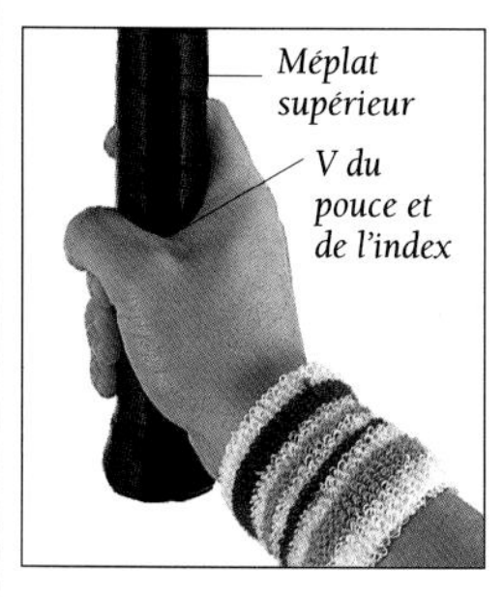

Prise Eastern Modifiée
Placez le V formé par le pouce et l'index au milieu du méplat supérieur. Placez la paume de la main derrière le grip que vous entourez avec le pouce.

Prise Semi-Western
Placez le V sur le méplat arrière en positionnant la jointure de l'index sur le bord supérieur du chanfrein inférieur droit.

Prise Western
Placez le V sur le méplat arrière en posant la première jointure du doigt sur le chanfrein inférieur droit. La paume est près du méplat inférieur.

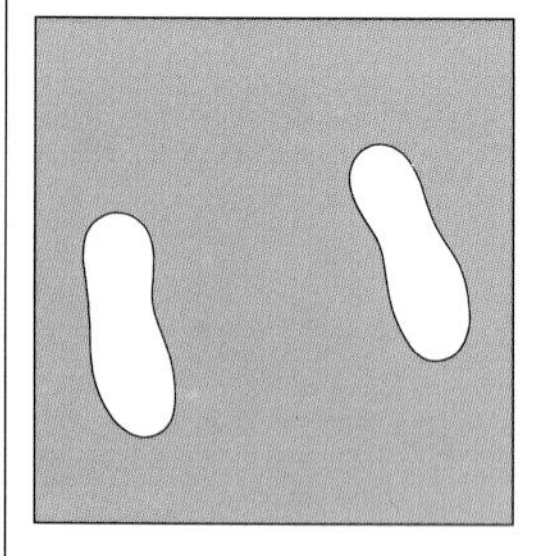

Position Fermée
Pivotez sur votre pied droit pour être de profil par rapport à la balle. Avancez le pied gauche pour être parallèle à la trajectoire de la balle.

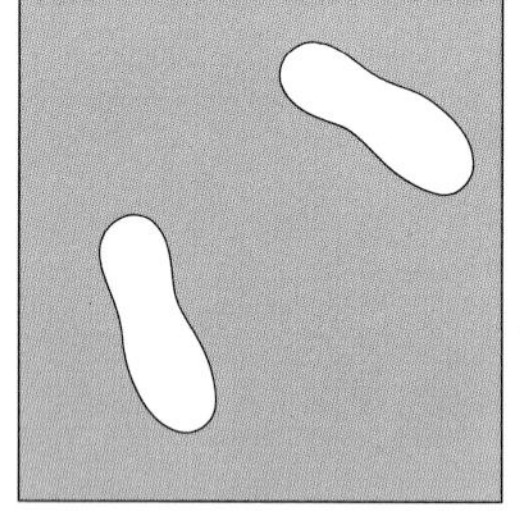

Position Semi-Fermée
Le pied droit n'est pas autant en retrait et met votre corps de trois quarts par rapport à la balle. Avancez en libérant l'élan fourni par le torse en rotation.

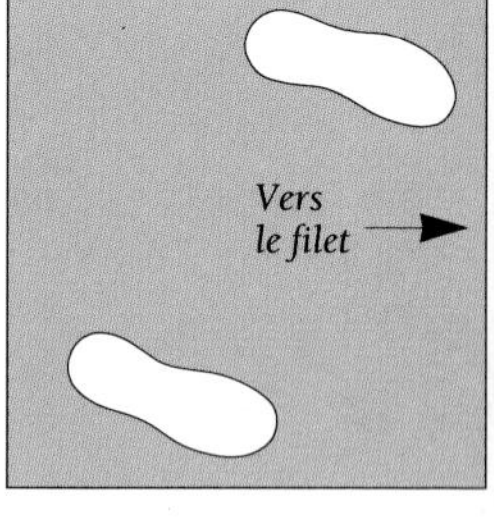

Position Ouverte
C'est le pied arrière qui vous positionne et avance simultanément derrière la balle ; l'autre pied avance très légèrement pour vous stabiliser.

26 LA PRÉPARATION

Pour vous préparer à frapper la alle, tournez-vous de profil depuis la osition d'attente que vous avez déjà pprise. La main qui ne joue pas lâche raquette pour servir de balancier. léchissez les genoux quand vous tirez la raquette vers l'arrière à la hauteur de la frappe. Quand la raquette est bien tirée en arrière, relâchez le coude et laissez la tête de votre raquette décrire une boucle naturelle qui ajoute rythme et vitesse à votre swing avant.

OTATION DES ÉPAULES
a rotation des épaules aligne le ras-balancier dans l'axe de la alle, ce qui vous aide à lire la ajectoire de la balle et améliore timing et le contrôle.

27 La frappe

Pour une frappe parfaite à chaque coup, avancez sur le pied gauche et ramenez la tête de la raquette vers le haut pour frapper la balle à hauteur de la cuisse. La tête de la raquette remonte à hauteur de la hanche ; allongez le bras sans raidir le coude. Si vous frappez avec le coude plié, c'est que vous êtes trop près de la balle, et votre coup perdra de sa puissance et de sa précision.

Gardez la tête fixe et les yeux rivés sur la balle.

La rotation du torse lance l'épaule droite dans la frappe.

La prise doit être ferme et la face de la raquette presque à la verticale.

Transférez le poids vers l'avant sur le genou gauche fléchi pour avoir un bon appui pour la frappe.

Longueur bras-raquette
Déployez votre swing en utilisant bien la longueur combinée bras-raquette jusqu'à l'impact pour générer le maximum de puissance et de précision.

Gardez les pieds parallèles, mais plus écartés que la largeur des épaules pour une meilleure stabilité au moment de la frappe.

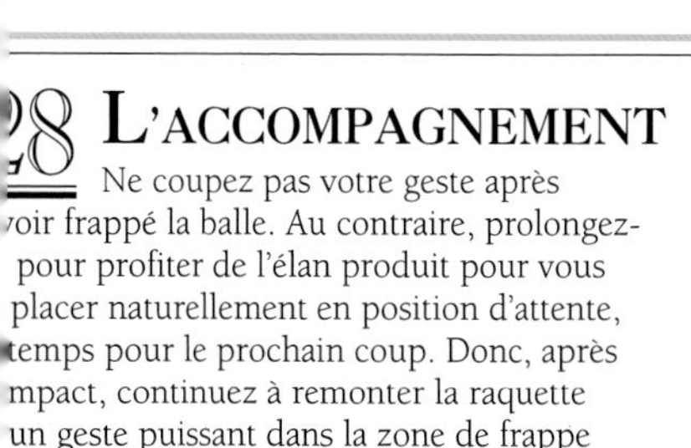

28 L'ACCOMPAGNEMENT

Ne coupez pas votre geste après voir frappé la balle. Au contraire, prolongez- pour profiter de l'élan produit pour vous placer naturellement en position d'attente, temps pour le prochain coup. Donc, après mpact, continuez à remonter la raquette un geste puissant dans la zone de frappe one du court où vous frappez la balle) squ'au-dessus de votre tête. Le tamis la raquette reste ferme et suit la ajectoire de la balle.

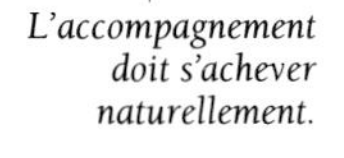

L'accompagnement doit s'achever naturellement.

Maintenez votre équilibre tout en déplaçant le poids de votre corps dans la zone de frappe.

La jambe d'attaque fournit un appui solide au moment de l'impact.

Le déplacement du corps pour la frappe est stabilisé par le pied droit qui va avancer naturellement pour votre replacement.

Pivotez sur le pied gauche pendant l'accompagnement.

29 L'ENTRAÎNEMENT

Pour améliorer votre technique, mandez à votre partenaire de faire bondir à côté de vous des balles que us enverrez en coup droit de l'autre côté ı filet. Ensuite, pour simuler les coups un adversaire, demandez-lui de vous ncer par en dessous des balles que vous tournerez en coup droit.
Puis, en vous plaçant à mi-court dans les rrés de service opposés, faites des hanges de coups droits croisés.
Chaque fois que vous tenez un échange 10 coups droits, reculez-vous progressivement jusqu'à pouvoir jouer derrière les lignes de fond de court. Essayez d'échanger 10 coups droits pour commencer, puis tentez un échange de 20 coups en frappant des drives profonds sur le coup droit de l'autre personne et en faisant rebondir la balle entre la ligne de service et la ligne de fond.

■ Après chaque coup, veillez à bien vous replacer derrière la marque centrale de votre ligne de fond pour travailler les déplacements requis pendant les matches.

30 LE JEU D'ATTAQUE

Attaquez votre adversaire en plaçant des drives de coup droit profonds dans ses coins de coup droit et de revers pour le maintenir en fond de court. Croisez vos coups. Quand votre adversaire jouera un drive le long de la ligne, vous pourrez plus facilement lui retourner la balle dans l'une des deux directions.

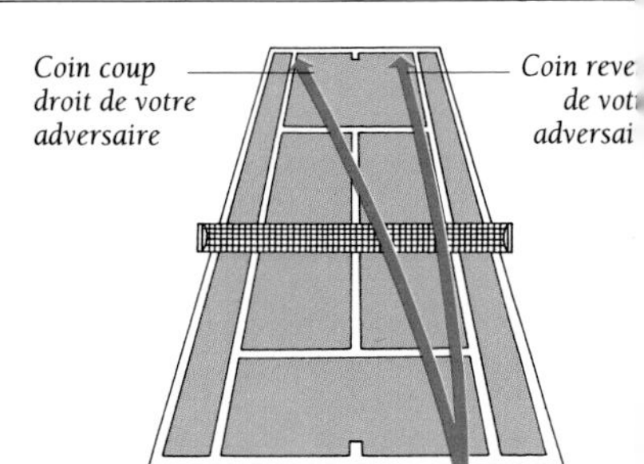

31 LA FRAPPE AVEC TOPSPIN

Le fait d'appliquer un topspin à votre balle peut surprendre votre adversaire. C'est un atout supplémentaire pour l'attaque en coup droit. Utilisez la prise eastern ou semi-western. Au moment de la préparation du coup, ramenez la raquette en arrière, à peu près jusqu'à la hauteur de la frappe, et formez une boucle profonde avec la tête de la raquette quand vous amorcez le swing vers l'avant.

LA PRÉPARATION

LA FRAPPE

L'ACCOMPAGNEMENT

LE REVERS

32 LE REVERS PARFAIT

La clé du revers parfait est la capacité à déployer la raquette avec puissance. Vous devrez également développer la technique qui consiste à pivoter et courir tout en préparant votre coup pour arriver correctement positionné dans la zone de frappe. La maîtrise de ce drive en déplacement ajoutée à votre technique des coups après rebond vous donnera le contrôle de fond de court.

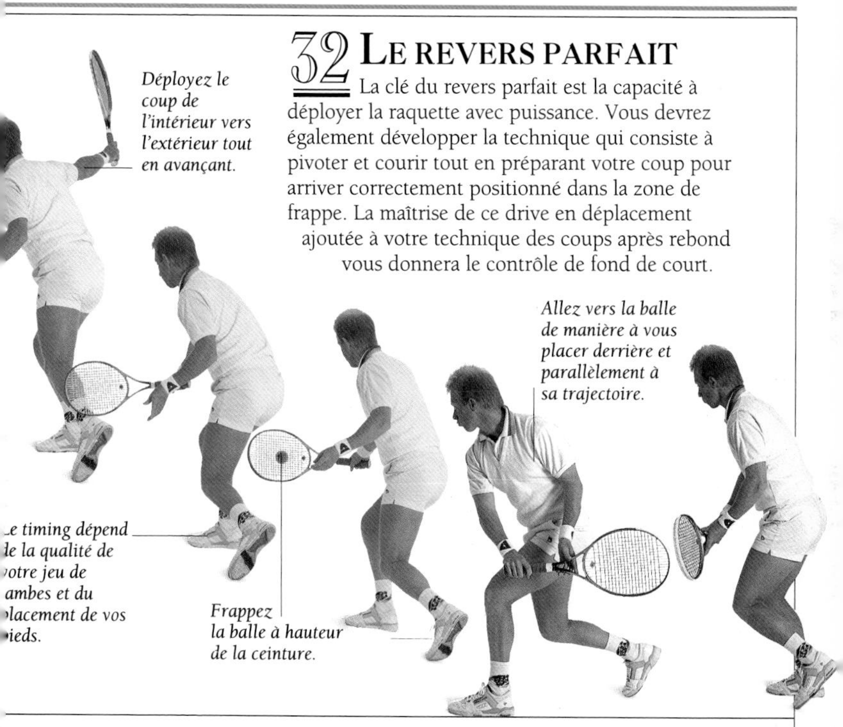

33 LA MEILLEURE PRISE

Pour le revers, il est préférable d'utiliser a prise eastern. Pour cela, placez le V du pouce et de l'index sur le chanfrein supérieur gauche du grip et votre pouce en travers du méplat arrière. La jointure de l'index est sur e chanfrein supérieur droit. Combinée à un poignet ferme, cette prise vous permettra de développer un drive de revers puissant et bien contrôlé.

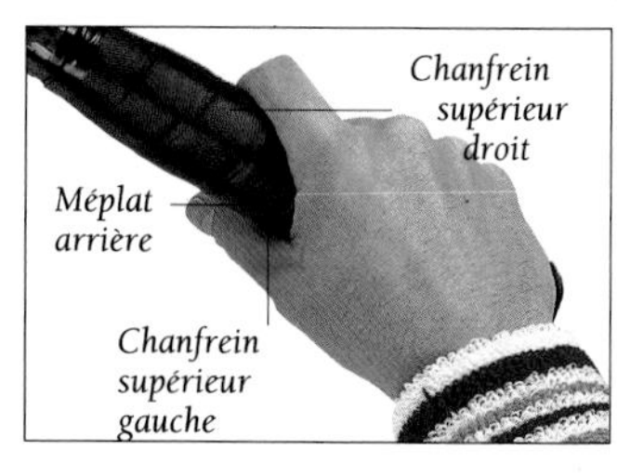

PRISE DE REVERS EASTERN

34 LA PRÉPARATION

Vous êtes face au filet, en position d'attente derrière la ligne de fond de court. Vous tenez la raquette devant vous en supportant le cœur avec la main de soutien. Effectuez une rotation complète des épaules et transférez votre poids sur le pied gauche. Gardez la main de soutien autour du cœur de la raquette quand vous rejetez celle-ci derrière votre hanche gauche. Vous vous tenez dos au filet, la préparation arrière est complète. Vous êtes prêt à transférer votre poids vers l'avant, en « déroulant » votre corps et en avançant le pied droit.

PRÊT À FRAPPER
En tournant les épaules, vous transférez le poids de votre corps sur le pied arrière. La raquette descend avant de remonter vers l'extérieur.

35 FAIRE LA PLACE POUR LE SWING

Vous devez absolument disposer d'un espace suffisant pour déployer la raquette vers le haut et l'extérieur à la rencontre de la balle.
Avancez le pied d'attaque en même temps que vous déployez la raquette de bas en haut vers l'avant.
Ne quittez pas la balle des yeux et allez à sa rencontre pour libérer le coup.

36 DES COUPS PUISSANTS

La sensation de puissance est due à la combinaison du déroulement du corps et du déploiement de la raquette. Pour libérer cette puissance tout en la contrôlant, pivotez sur le pied arrière et tournez l'épaule du bras qui porte la raquette vers l'arrière jusqu'à ce que vous soyez dos au filet. Quand vous avez rejeté votre raquette au-delà de la hanche, vous êtes prêt à déployer un coup puissant et précis.

37 LA FRAPPE

Lâchez la main qui soutient le cœur de la raquette et décrivez une boucle peu profonde avec le tamis de la raquette pour produire un swing vers l'avant de bas en haut tout en avançant le pied d'attaque. Frappez la balle, de profil, à une distance équivalente à la longueur raquette + bras. Votre prise vous procurera une sensation de fermeté au moment de l'impact, et l'angle naturel du tamis de la raquette donnera le brossage lifté et la direction de la balle.

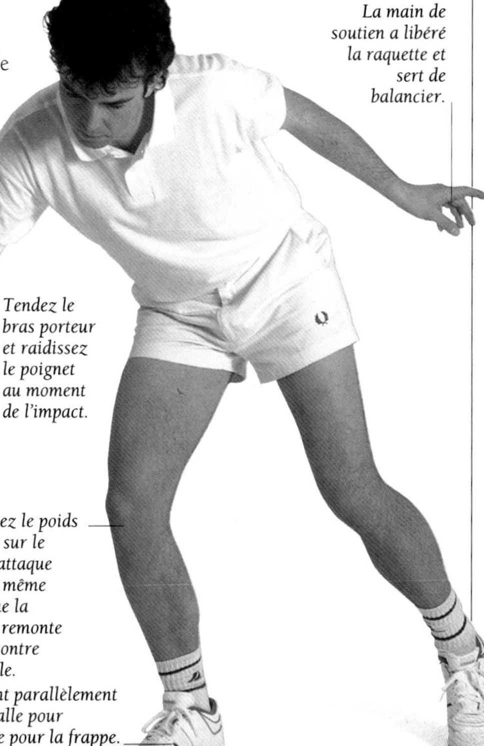

La main de soutien a libéré la raquette et sert de balancier.

Tendez le bras porteur et raidissez le poignet au moment de l'impact.

Tenez le tamis de la raquette presque perpendiculaire au sol, mais avec une légère inclinaison pour lifter la balle.

Transférez le poids du corps sur le genou d'attaque fléchi en même temps que la raquette remonte à la rencontre de la balle.

Placez le pied de devant parallèlement à la trajectoire de la balle pour assurer un appui solide pour la frappe.

38 L'ACCOMPAGNEMENT

Pour accompagner la balle après la frappe, laissez la tête de votre raquette suivre la balle dans la direction que vous visez. Le bras qui porte la raquette doit être allongé sans être raidi ; le corps penche en avant sur le genou d'attaque fléchi.

Quand l'accompagnement est terminé, laissez votre pied arrière revenir vers l'avant pour vous replacer en position d'attente.

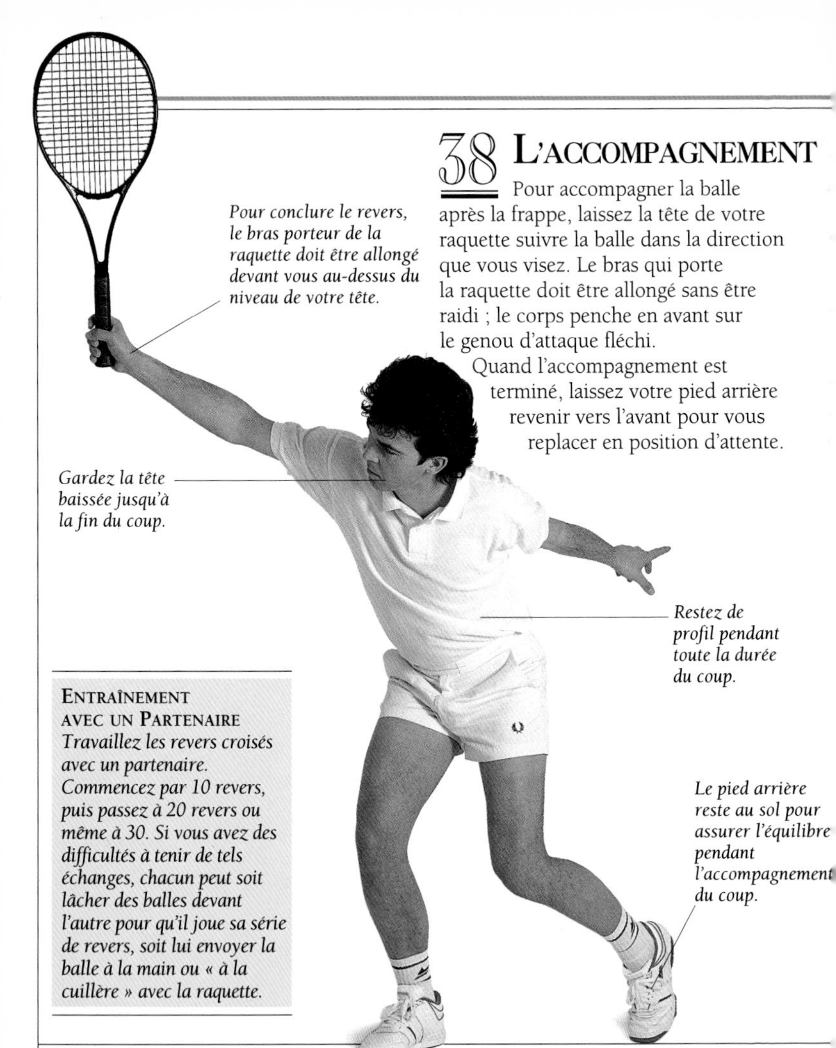

Pour conclure le revers, le bras porteur de la raquette doit être allongé devant vous au-dessus du niveau de votre tête.

Gardez la tête baissée jusqu'à la fin du coup.

Restez de profil pendant toute la durée du coup.

Le pied arrière reste au sol pour assurer l'équilibre pendant l'accompagnement du coup.

ENTRAÎNEMENT AVEC UN PARTENAIRE
Travaillez les revers croisés avec un partenaire. Commencez par 10 revers, puis passez à 20 revers ou même à 30. Si vous avez des difficultés à tenir de tels échanges, chacun peut soit lâcher des balles devant l'autre pour qu'il joue sa série de revers, soit lui envoyer la balle à la main ou « à la cuillère » avec la raquette.

39 LES COUPS DIFFICILES

Si la balle vient directement sur vous, écartez-vous de sa trajectoire en poussant sur votre pied d'attaque. Pendant le transfert de votre poids sur ce pied, écartez-vous de la balle et allongez complètement le bras de la raquette pour frapper la balle. Pour une balle haute, préparez votre geste derrière vous, plus haut que vous ne le feriez pour un drive classique. Remontez votre raquette vers l'avant pour que le centre du tamis rencontre la balle.

10 L'AMORTI DE REVERS

'amorti de revers est un coup de oucher avancé qui requiert un bon ntraînement. Ramenez votre aquette à peu près à hauteur de otre tête, en tenant le tamis de la aquette légèrement incliné vers arrière pour couper la balle. baissez le tamis de la raquette sous a balle pour sentir les cordes qui rossent la balle. La balle rebondit ur les cordes, déviée vers le aut, et retombe derrière le ilet avec un faible rebond û au brossage coupé. 'accompagnement u geste est accourci.

UNE CONCENTRATION PARFAITE *Quand vous jouez un coup de toucher avancé, concentrez-vous sur la frappe et ne quittez pas la balle des yeux.*

Libérez la main de soutien pour vous équilibrer.

Transférez le poids du corps dans le coup par le genou d'attaque fléchi.

Frappez la balle à peu près à hauteur de la ceinture, en ouvrant légèrement le tamis de la raquette.

Gardez la pointe du pied arrière au sol pour vous équilibrer.

41 LE REVERS À DEUX MAINS

Le revers à deux mains est l'option idéale aussi bien pour les jeunes joueurs qui manquent de force physique que pour les personnes plus âgées qui commencent à jouer. Ce coup puissant à deux mains vous encouragera à attaquer la balle avec un brossage topspin tout en vous procurant un sentiment de force et de contrôle accrus. Pour la prise de la raquette, commencez simplement par ajouter l'autre main ; plus tard, vous essaierez de modifier votre prise quand vous amorcerez la préparation du geste.

Pointez la tête de la raquette vers le bas.

Laissez la raquette se déployer vers l'extérieur et vers le haut à la rencontre de la balle.

1 Quand vous pivotez, prêt à frapper la balle, placez simplement l'autre main sur le grip et préparez votre geste derrière vous sous la hauteur prévue pour la frappe.

Utilisez le pied arrière pour vous équilibrer.

2 Avancez le pied droit et amenez la raquette à la rencontre de la balle au niveau de la hanche d'attaque. Le poids de votre corps s'est déplacé sur votre pied d'attaque.

3 Laissez votre corps se « dérouler » complètement jusqu'au point de frappe de la balle. Un drive donné avec un poignet ferme et un accompagnement plus plat peut être plus rapide, mais offre une marge d'erreur réduite.

42 LE CHANGEMENT DE PRISE

Votre prise à deux mains s'améliorant, la main qui porte la raquette peut tenir le grip avec une prise de revers eastern ou continentale. Soutenez la raquette de l'autre main et tournez la main qui porte la raquette vers l'intérieur. Faites glisser la main de soutien vers le bas pour former une prise de coup droit eastern, pour gaucher, au-dessus de la main droite.

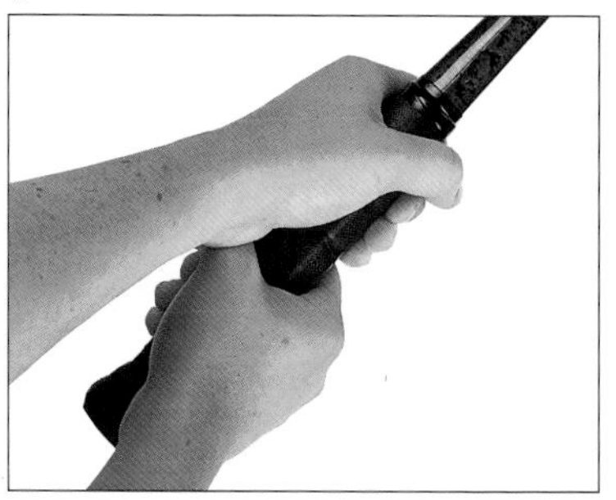

CHANGEMENT DE PRISE
Tournez la main qui porte la raquette jusqu'à ce que le V du pouce et de l'index se trouve sur le bord interne du grip.

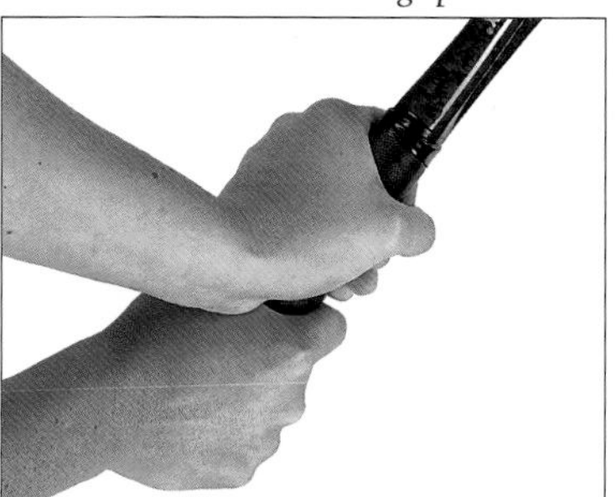

PRISE D'ATTENTE
Faites glisser la main de soutien le long du grip jusqu'à ce qu'elle s'appuie sur le V de l'autre.

Le Service

43 Le service parfait

Le service est le coup le plus dévastateur du tennis. Bien qu'exécuté à partir d'une position statique, un service bien rythmé vous permet d'expédier la balle dans le carré de service de votre adversaire avec une vitesse et une précision meurtrières. Pour un service parfait, vous devez sentir la puissance de votre élan se propager à travers vos jambes, votre bassin, votre dos, vos épaules, votre bras et votre poignet jusqu'à la raquette, selon une réaction en chaîne.

La Trajectoire de la Balle
La balle décrit un arc de cercle depuis la ligne de fond jusqu'au carré de service diagonalement opposé, de l'autre côté du filet. Il atteint la ligne de fond opposée après le rebond.

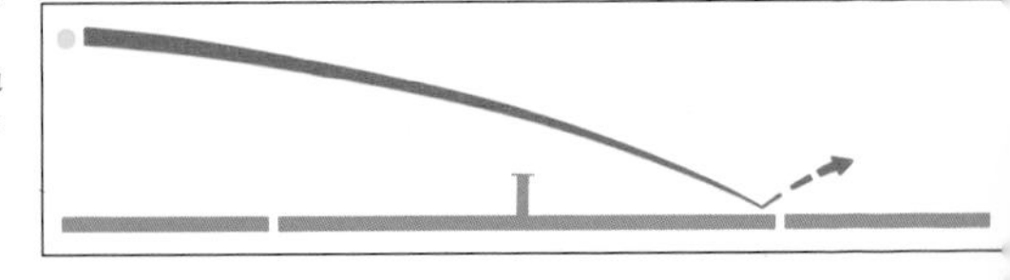

44 TENIR LA BALLE

Pour tenir une balle, serrez-la entre les cinq doigts de votre main libre. Pour deux balles, tenez la première entre le pouce, l'index et le majeur, la deuxième en vous aidant de l'annulaire et de l'auriculaire.

PRISE POUR UNE BALLE

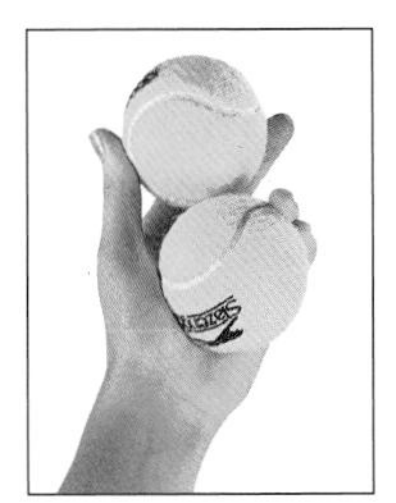

PRISE POUR DEUX BALLES

45 LA MEILLEURE PRISE DE RAQUETTE

À vos débuts, essayez la prise de coup droit eastern ou eastern modifiée. Passez à la prise continentale où le V formé par le pouce et l'index se trouve à gauche du centre du méplat supérieur, et la jointure de l'index sur le chanfrein supérieur droit.

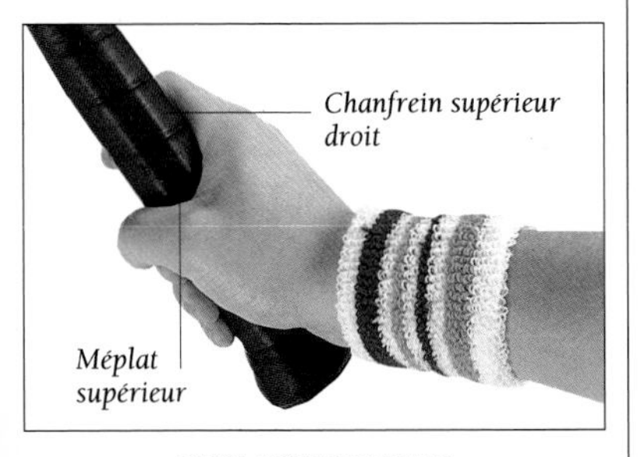

PRISE CONTINENTALE

46 S'ENTRAÎNER AU SERVICE

Le service est le geste que l'on fait pour lancer une balle au-dessus de l'épaule. Si vous savez jeter une balle comme sur la photo ci-dessous, vous pouvez servir. Avec un partenaire face à vous, lancez-vous la balle à tour de rôle.

47 Les fautes de pied

Rien ne sert de faire un bon service si vous mordez ou franchissez la ligne de fond avant de frapper la balle. Votre service serait jugé « faute » et vous ne pourriez pas le rejouer. Pour éviter les fautes de pied, tenez-vous un peu plus loin de la ligne de fond et entraînez-vous à servir plusieurs fois en gardant le pied arrière au sol.

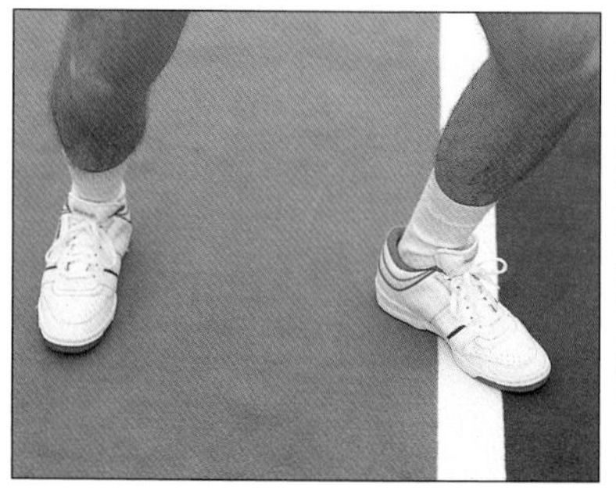

Faute de Pied Avant
Pour éviter de commettre cette faute, reculez-vous un peu plus pour servir.

Faute de Pied Arrière
Si vous lancez la balle trop en avant, votre pied arrière risque de franchir la ligne trop tôt.

48 La position pour le service

Pour servir, placez-vous derrière la ligne de fond, à environ 50 cm de la marque centrale. Vous vous tenez de profil par rapport au filet tout en faisant face à votre adversaire, avec un écartement des pieds correspondant à la largeur de vos épaules. Fléchissez légèrement les genoux en appuyant le poids de votre corps sur le pied arrière. La pointe du pied gauche est dirigée vers le poteau droit du filet. Préparez-vous à transférer le poids de votre corps vers l'avant au moment où vos bras se séparent. Gardez les bras et les épaules détendus.

49 LE LANCER DE BALLE

Lancez la balle en l'air, devant vous et légèrement sur votre droite. Pendant le transfert du poids de votre corps, utilisez le pied arrière pour vous stabiliser. En lâchant la balle, pliez le bras qui porte la raquette et levez-la jusqu'à ce que la tête soit pointée vers le ciel. Quand la balle est lâchée, les deux bras doivent être levés.

La tête de la raquette et la main qui lance la balle sont levées quand la balle atteint son sommet.

Fléchissez le genou avant pour amortir le transfert vers l'avant de votre poids.

50 LA POSITION DE LANCEMENT

Une fois la balle lancée, n'arrêtez pas le mouvement, mais sentez le temps d'arrêt quand la balle atteint le sommet de sa phase ascendante. Puis, laissez votre raquette descendre en position de lancement, doucement mais assez bas, entre vos deux omoplates. Utilisez la jambe arrière pour vous équilibrer.

Pliez le coude pour que la tête de la raquette descende bien en position de lancement, sans toucher votre dos.

Assurez votre équilibre sur le genou fléchi avant de frapper.

51 La frappe

Pour réussir vos services, tendez bien les jambes et lancez la tête de la raquette vers le haut. Le corps doit être en extension complète au moment de l'impact et seule la pointe des pieds doit encore toucher le sol. Le bras qui porte la raquette est allongé au-dessus de l'épaule dans l'axe du corps.

Projetez l'épaule puissamment vers l'intérieur tandis que vous lancez la tête de la raquette à la rencontre de la balle.

Frappez la balle avec le centre du tamis.

Tendez les jambes au moment de frapper. Le pied arrière n'est plus ancré au sol et vous êtes prêt à suivre la balle.

Après l'impact, le bras libre retombe et l'accompagnement du service commence.

Sentir la Balle
Afin d'accroître votre précision et de réduire les risques de fautes de filet, essayez de développer votre sensation à plat ou par-dessus la balle.

52 Accompagner son service

Après l'impact, prolongez la course de la raquette au-delà du genou gauche. Simultanément, laissez votre pied droit franchir la ligne de fond de court pour vous équilibrer. Finissez le mouvement en réceptionnant le poids de votre corps sur le pied droit, genou droit fléchi, pour faciliter votre replacement derrière la ligne de fond ou pour monter à la volée.

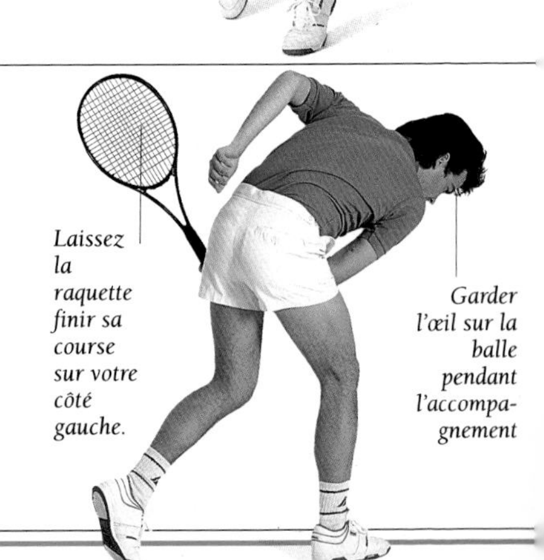

53 LE SERVICE SLICÉ

Le service slicé est d'une très grande efficacité quand il ne rebondit pas trop haut. La trajectoire de la balle slicée décrit une forte courbe avant et après le rebond, ce qui a pour effet de déporter l'adversaire hors du court. Avec le brossage latéral pour compliquer la tâche du receveur, c'est une technique appropriée pour le deuxième service.

Le tamis « tranche » la balle sur le côté.

La frappe est appuyée par le retour des épaules.

JOUER AVEC UN EFFET SLICÉ
Pour perfectionner votre service slicé, essayez de sentir la raquette quand elle « coupe » au milieu du côté droit de la balle. Gardez toujours la tête bien droite et les yeux rivés sur la balle.

54 POUR AMÉLIORER SON SERVICE

Pour conserver l'avantage tactique dans un match, vous devez vous efforcer de « passer » 70 % de vos premières balles de service. Pour cela, entraînez-vous à servir aux trois quarts de votre vitesse normale. Quand vous pourrez servir à volonté vers la ligne extérieure, droit sur l'adversaire ou le long de la ligne médiane, contre un droitier ou un gaucher, vous serez assez bon pour remporter la plupart de vos jeux au service. Servez profond ou bien vers les lignes latérales.

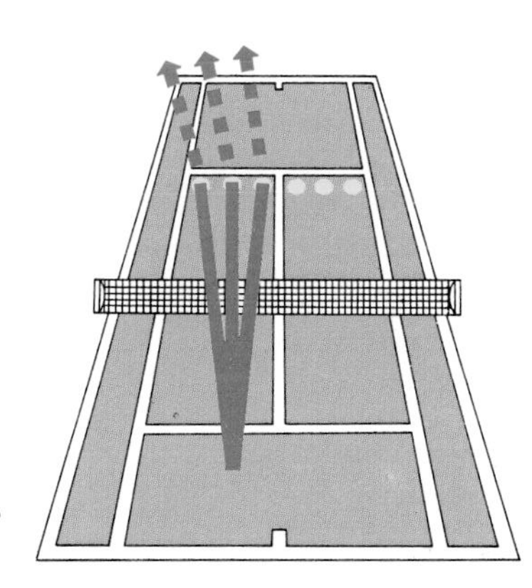

SERVICE SUR DES CIBLES
Une façon simple d'améliorer son service consiste à s'entraîner sur des cibles. Placez trois cibles dans chacun des carrés de service de votre adversaire, et servez deux balles sur chaque cible. Comptez le nombre de fois où vous ne faites que « passer » votre service et le nombre de fois où vous touchez la cible. Plus votre score à l'entraînement sera bon, plus votre pourcentage de services gagnants sera élevé.

Le Retour de Service

55 L'importance du retour

De votre capacité à retourner régulièrement le service de votre adversaire dépend l'issue de chaque point. Le retour de service est le deuxième coup en importance après le service. En compétition, il est essentiel de pouvoir retourner efficacement les services ; ce sont toutefois les points forts du service de votre adversaire qui gouvernent le type et la qualité de votre retour. Par conséquent, il est bon que vous appreniez à adapter votre coup droit et votre revers pour neutraliser la hauteur, la vitesse, l'effet et le placement du service.

La main libre sert de balancier pendant la frappe.

La raquette rencontre la balle à plat à hauteur d'épaule.

Pivotez puissamment vers l'avant pour augmenter la vitesse de la tête de la raquette à l'impact.

Tournez-vous de profil et préparez votre geste derrière vous, assez haut.

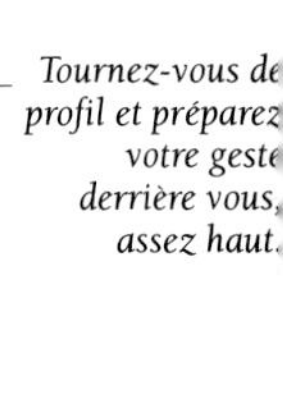

56 Le retour en drive

Si vous pouvez retourner le service avec un coup simple, vous n'aurez aucune difficulté à transformer votre retour en drive pour renvoyer une balle haute ou basse au-dessus du filet. Pour un retour sur balle haute, dressez-vous vers la balle et frappez-la dans sa phase ascendante, avec une rotation du torse. Pour retourner une balle basse, inclinez légèrement le tamis de votre raquette afin de lifter la balle en fléchissant bien les genoux.

57 LE RETOUR EN BLOC

Le retour en bloc se joue avec une préparation courte et une frappe sèche comme pour la volée. Tenez-vous juste à l'intérieur de la ligne de fond et frappez la balle tôt. Frappez sèchement l'arrière de la balle en visant en profondeur vers la ligne de fond de court opposée pour annuler l'avantage du serveur.

QUAND FRAPPER LA BALLE ?
Quand vous effectuez un retour en bloc, attaquez la balle tôt et assez loin devant vous.

58 RETOUR D'ATTAQUE ET RETOUR-SURPRISE

Pour retourner un service court, attaquez la balle tôt et frappez croisé ou le long de la ligne latérale. Il est peu probable que le serveur monte au filet derrière un tel service, aussi votre retour d'attaque devrait le contraindre à défendre et vous permettre d'avancer dans le court. Sur un service très court, croisez un peu plus votre coup pour un retour gagnant.

Si le serveur vise en profondeur sur votre revers, répliquez par un retour lobé avec topspin, croisé ou le long de la ligne. Ce type de retour devrait le surprendre s'il avait décidé de monter au filet.

59 Le retour lobé

Pour un retour lobé, avancez au-delà de la ligne de fond de court et, avant d'avancer le pied d'attaque, exécutez une courte préparation arrière pour frapper l'arrière de la balle par en dessous pour imprimer un topspin prononcé. Utilisez la prise de revers eastern pour ce coup, avec un poignet ferme.

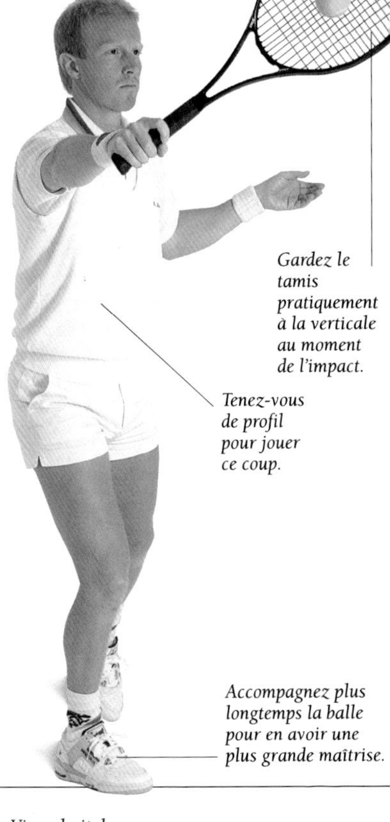

Quand frapper la balle ?
Sur un service haut, attaquez dans la phase ascendante du rebond ; la raquette va rencontrer la balle à hauteur de l'épaule.

60 Les tactiques de retour

Quand on sert sur votre revers, le long de la ligne, depuis le côté droit du court, avancez à l'intérieur de la ligne de fond et coupez ou « chopez » un retour piqué dans les pieds de votre adversaire. Autre possibilité, retournez vers les lignes latérales pour déporter votre adversaire sur un côté et vous ouvrir le court pour jouer un passing shot.

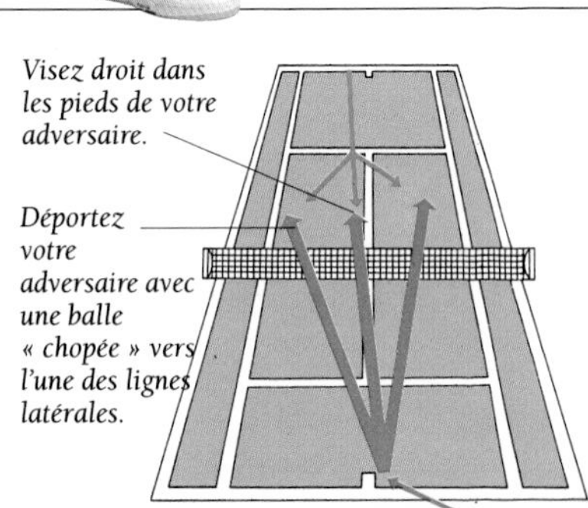

61 LE RETOUR COURT

Le retour court ou « chopé » est un coup court, coupé, très utile contre les services hauts et à gros rebonds. Pour jouer ce retour, avancez dans le court, à l'intérieur de la ligne de fond. Effectuez une préparation courte mais haute, et coupez dans la balle à une hauteur se situant entre la ceinture et l'épaule. La raquette colle à la balle après l'impact. Le retour « chopé » idéal est joué hors d'atteinte ou dans les pieds du serveur qui monte à la volée, et il atterrit dans les carrés de services.

UNE ARME OFFENSIVE
Ce coup peut être également une arme offensive. En envoyant un retour « chopé » profond sur la ligne de fond de court – obligeant votre adversaire à reculer – vous vous créez la possibilité de monter au filet pour terminer le point à la volée.

QUAND FRAPPER LA BALLE ?
Pour un retour court puissant, il est important d'être face à la balle, de frapper celle-ci loin devant et le bras porteur tendu.

La Volée de Coup Droit

62 La volée de coup droit parfaite

La volée de coup droit est l'un des coups les plus décisifs du tennis, et cela peut être le coup qui vous fera gagner votre match. Jouez la volée comme un boxeur lance un direct. Avancez vers le filet et lancez votre coup droit en avant pour frapper la balle avant le rebond. La volée est un coup sec et court, avec une trajectoire descendante, contrairement au swing du coup droit classique qui se donne de bas en haut.

La Trajectoire de la Balle
À la volée, la balle n'a qu'une seule trajectoire. Essayez d'arriver à la rencontre de la balle au-dessus de la hauteur du filet et visez droit dans le court de l'adversaire.

63 LE PLACEMENT DES MAINS ET DES PIEDS

Pour commencer, vous serez plus en confiance si vous utilisez la prise de coup droit eastern. Placez la paume derrière le grip et donnez simplement une « poignée de main » à la raquette.

Quand vous aurez progressé, vous passerez à la prise continentale que vous avez apprise pour le service et qui offre plus de souplesse. Écartez l'index le long du grip pour mieux sentir la balle.

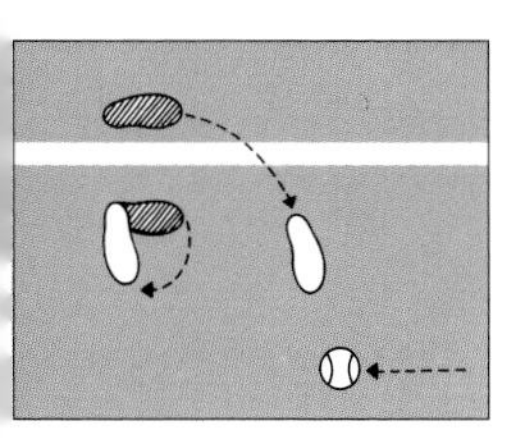

BALLE FACILE
Pour retourner une balle facile, pivotez sur le pied droit et avancez sur le pied gauche, parallèlement à la trajectoire de la balle.

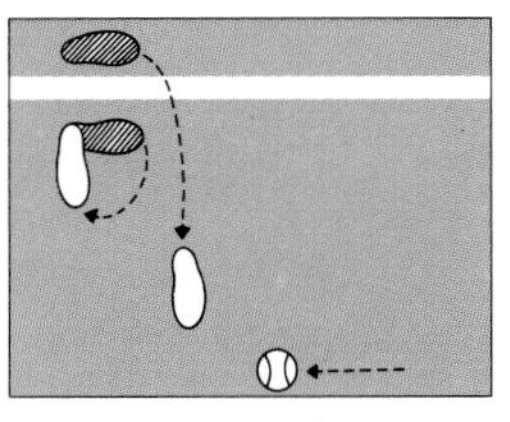

BALLE DÉBORDANTE
Pour frapper une balle qui passe loin de vous, pivotez sur votre droite, faites un grand pas du pied gauche. Tournez le torse pour garder l'équilibre.

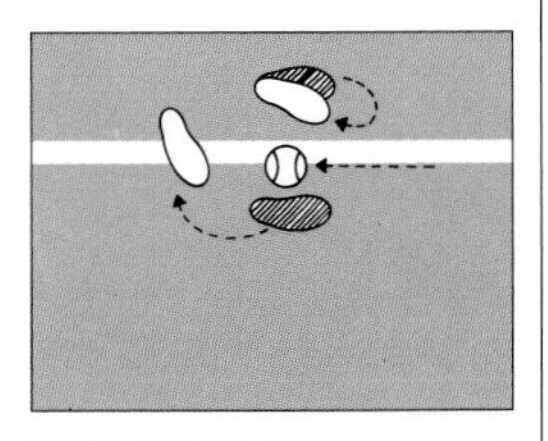

BALLE DROIT DESSUS
Pivotez sur le pied gauche puis reculez du pied droit pour vous placer de profil avant de projeter votre poids vers l'avant.

64 ATTRAPER LA BALLE

Le geste de la volée de coup droit est très semblable à l'action d'attraper une balle avec la main. C'est d'ailleurs un exercice simple qui vous aidera à développer votre volée de coup droit. Avec votre partenaire, placez-vous à trois mètres de chaque côté du filet. Demandez à votre partenaire de vous lancer une balle par en dessous à hauteur d'épaule. Avancez-vous et attrapez fermement la balle, arrivant sur le côté et devant vous, avant qu'elle ne commence à descendre vers le sol. Concentrez votre regard sur la balle et « bloquez » la balle avec les yeux quand vous l'attrapez. À votre tour, lancez la balle à votre partenaire.

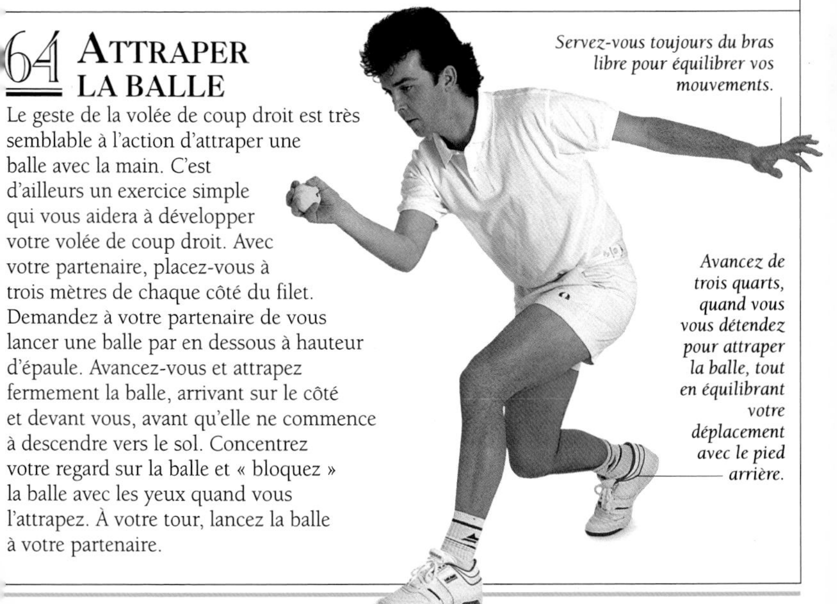

Servez-vous toujours du bras libre pour équilibrer vos mouvements.

Avancez de trois quarts, quand vous vous détendez pour attraper la balle, tout en équilibrant votre déplacement avec le pied arrière.

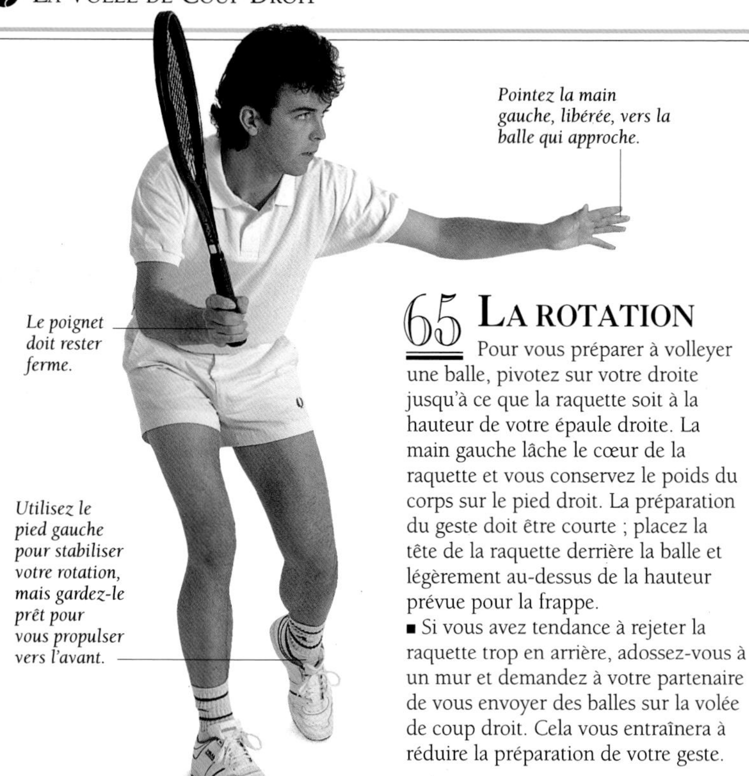

65 La rotation

Pour vous préparer à volleyer une balle, pivotez sur votre droite jusqu'à ce que la raquette soit à la hauteur de votre épaule droite. La main gauche lâche le cœur de la raquette et vous conservez le poids du corps sur le pied droit. La préparation du geste doit être courte ; placez la tête de la raquette derrière la balle et légèrement au-dessus de la hauteur prévue pour la frappe.

- Si vous avez tendance à rejeter la raquette trop en arrière, adossez-vous à un mur et demandez à votre partenaire de vous envoyer des balles sur la volée de coup droit. Cela vous entraînera à réduire la préparation de votre geste.

66 De volleyeur à volleyeur

Développez la précision et le contrôle de votre volée en vous entraînant régulièrement avec un partenaire. Placez-vous de part et d'autre du filet en position pour volleyer. Envoyez-vous des balles à volleyer, à tour de rôle et de plus en plus vite, jusqu'à faire un pur échange de volées. Travaillez la rapidité de votre jeu de jambes, quand vous pivotez et avancez sur la balle, travaillez les gestes réflexes et réduisez au minimum la préparation de votre geste.

Volleyer pour marquer des points
Pour plus d'émulation, faites un concours avec votre partenaire pour voir qui volleye le plus souvent dans des buts formés par des ballons.

57 La frappe

Quand vous jouez une volée, projetez la tête de la raquette vers l'avant, pour rencontrer la balle au-devant de votre corps, à une hauteur située entre la ceinture et l'épaule. Essayez de jouer la balle à hauteur des yeux. Développez la précision et le contrôle de votre volée de coup droit en vous entraînant à viser une cible sur un mur. Essayez de tenir une série de 10 à 20 volées de suite.

Position de Volée Smashée
Rencontrez la balle plus haut et plus près de votre corps que pour un coup donné après le rebond.

68 L'ACCOMPAGNEMENT

Après l'impact, libérez votre épaule pour terminer le coup. Gardez les genoux fléchis pour maintenir une bonne stabilité et un centre de gravité bas. La course légèrement descendante de votre raquette ajoute un brossage coupé pour le contrôle du coup. L'accompagnement doit être court.

■ Bien placé au filet, volleyez en profondeur le long de la ligne latérale pour fixer votre adversaire en fond de court, ou essayez une volée très croisée pour placer la balle hors de sa portée.

Gardez la tête immobile et les yeux fixés sur la balle.

Le coude est bien écarté du corps, le bras qui porte la raquette est tendu et la tête de la raquette à peu près au niveau du poignet.

Une fois le coup complété, le pied arrière avance pour amorcer votre replacement.

Maintenez un bon appui au sol pendant l'accompagnemen

69 LA VOLLÉE BASSE DE COUP DROIT

Pour bien jouer une volée basse de coup droit, il faut s'accroupir. La tête de la raquette est au niveau du poignet que vous gardez bien ferme. Pour volleyer, avancez de trois quarts sur votre pied d'attaque

Utilisez votre main libre comm balancier.

Inclinez un peu le tamis de la raquette pour couper légèrement la balle.

70 LA VOLÉE HAUTE DE COUP DROIT

ɔur jouer une bonne volée haute de ɔup droit, vous devez vous placer ɛ profil, faute de quoi vous risquez ɛ mettre la balle dans le filet ou de sortir des limites latérales du court. ejetez la raquette un peu plus en rière et un peu plus haut que pour ıe volée classique. uis, avancez le pied gauche. appez la balle vers le bas en ıccompagnant avec la raquette. Les volées hautes requièrent un bras usclé pour frapper puissamment balle à hauteur d'épaule. ne bonne condition physique ɛt nécessaire pour ɛ coup.

Le bras libre sert de balancier.

Le poignet est ferme, la raquette est bien haute.

Les deux pieds restent au sol.

71 LA DEMI-VOLÉE DE COUP DROIT

ı demi-volée est un coup d'un niveau ancé qui se joue immédiatement après rebond de la balle. La préparation de la ıquette doit être courte et basse et ıaintenir la tête de la raquette au niveau ı poignet. Fléchissez les genoux quand ɔus pivotez sur le pied arrière et baissez-ɔus très bas. Le pied d'attaque est avancé le genou arrière près du sol. Frappez la ılle juste après le rebond, en gardant le ɔignet bien rigide.

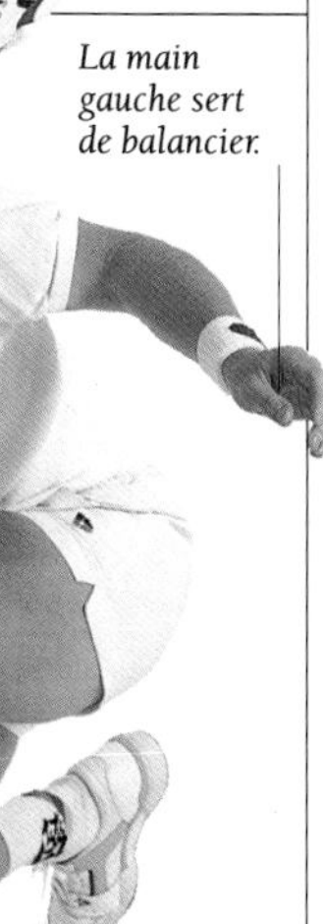

La main gauche sert de balancier.

Le poignet et la tête de la raquette sont au même niveau.

LA VOLÉE DE REVERS

72 LA VOLÉE DE REVERS PARFAITE

Il se peut que vous trouviez que la volée de revers est plus facile à jouer que la volée de coup droit. Cela est dû au fait que vous vous positionnez de profil et que le bras qui porte la raquette montre la voie, favorisant une action décisive. Travaillez les séquences des volées de revers et des coups droits en partant d'assez loin et en montant rapidement pour venir volleyer.

LA TRAJECTOIRE DE LA BALLE
Comme pour la volée de coup droit, la balle n'a qu'une seule trajectoire. Allez à sa rencontre au-dessus de la hauteur du filet et visez dans le court de l'adversaire.

73 LA ROTATION

En position d'attente, ournez-vous de profil par rapport à a balle et rejetez la raquette en ırrière au-dessus de la hauteur de rappe, à peu près au niveau de 'épaule gauche. Soutenez le cœur de a raquette avec la main qui ne joue pas. Fléchissez légèrement les genoux, placez votre pied arrière de nanière à avoir un appui solide pour la frappe. Pour les balles basses, fléchissez plus les genoux.

74 LA FRAPPE

Lâchez la main gauche, avancez de trois quarts sur le pied droit. Frappez de la tête de la raquette en avant et vers le bas sur l'arrière de la balle. La frappe se fait à mi-hauteur entre la ceinture et l'épaule avec toute la surface du tamis. Quand vous frappez la balle, transférez complètement votre poids sur le genou avant qui est fléchi. Essayez de garder les pieds parallèles ou légèrement de trois quarts par rapport à la trajectoire de la balle.

75 Accompagner la balle

Après avoir porté le coup, laissez la tête de la raquette suivre la balle sur une courte distance, en allongeant le bras qui porte la raquette. La trajectoire légèrement descendante de la raquette, et son tamis modérément ouvert, contribueront à couper légèrement la balle pour un meilleur contrôle. Contrôlez le placement de vos pieds de manière à pouvoir suivre la balle.

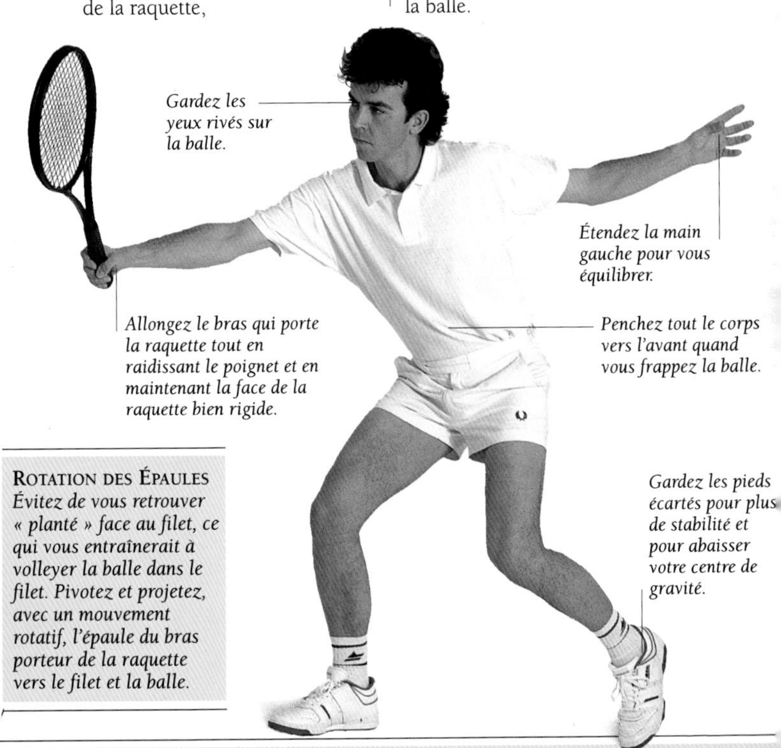

Rotation des Épaules
Évitez de vous retrouver « planté » face au filet, ce qui vous entraînerait à volleyer la balle dans le filet. Pivotez et projetez, avec un mouvement rotatif, l'épaule du bras porteur de la raquette vers le filet et la balle.

76 Le travail au mur

Volleyez contre un mur pour améliorer vos coups. Tenez-vous à 2 m du mur, ce qui raccourcit vos coups et améliore votre contrôle du tamis de la raquette. Commencez de profil, en vous replaçant en position d'attente après chaque volée. Soutenez un échange de 10 à 20 coups pour commencer, puis entraînez-vous à viser une cible sur le mur pour développer votre précision.

77 LES TACTIQUES DE VOLÉE

Volleyez la balle en profondeur dans les coins du fond du court de votre adversaire, surtout si vous jouez depuis le milieu du court. Quand vous monterez plus près du filet, vous aurez la possibilité de jouer des volées croisées. Essayez le plus souvent de frapper des volées droites. En effet, si votre volée croisée n'est pas décisive, votre court sera ouvert au passing shot de votre adversaire.

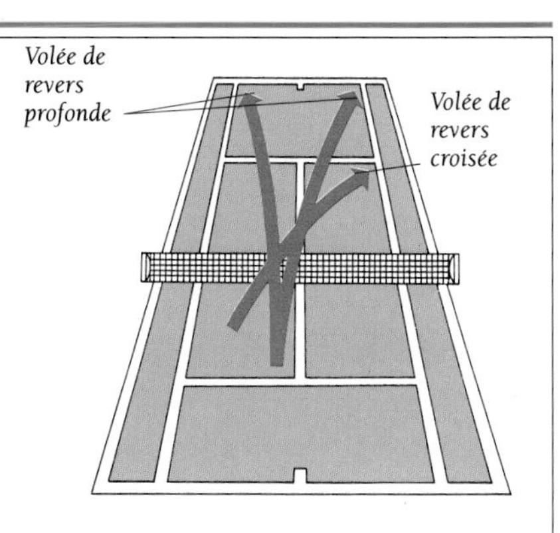

78 LA DEMI-VOLÉE DE REVERS

Comme pour la demi-volée de coup droit, la demi-volée de revers est un coup de toucher avancé pour lequel le timing est essentiel. Jouez votre demi-volée à peu près à mi-court, si votre montée au filet n'a pas été assez rapide.

Pivotez en fléchissant les genoux pour jouer ce coup, et avancez pour jouer vers l'avant avec une préparation de raquette courte. La touche de balle se fait juste après le rebond, avec un léger effet lifté.

VOLÉE BASSE DE REVERS
Baissez-vous bien et avancez latéralement. Inclinez la face de la raquette quand vous frappez sous la balle juste après le rebond.

Le Lob et le Smash

79 Le lob parfait

Un lob est une balle envoyée assez haut en l'air pour passer au-dessus de l'adversaire. C'est un coup plus complet que le drive, avec une préparation arrière plus courte mais un « swing » plus long. Le lob n'est pas seulement un coup défensif. Si votre balle a une vitesse suffisante et si elle est bien contrôlée de la raquette au moment de l'impact, votre lob très bien mesuré devient un coup d'attaque très efficace.

Déplacez-vous diagonalement pour intercepter la balle peu après le rebond.

Le tamis de la raquette est incliné en arrière pour couper la balle.

Pour frapper la balle avec un effet coupé, la préparation du geste doit être courte mais haute.

Utilisez la prise de revers eastern ou la prise continentale pour ce coup avancé de lob de revers.

Baissez-vous pour jouer ce coup, en écartant bien les jambes pour abaisser votre centre de gravité.

La Trajectoire de la Balle
Le lob classique a un petit effet de topspin et sa trajectoire décrit un arc de cercle assez régulier, passant environ 7 m au-dessus du filet pour atterrir juste à l'intérieur de la ligne de fond de court opposée. La deuxième trajectoire après le rebond doit être assez haute.

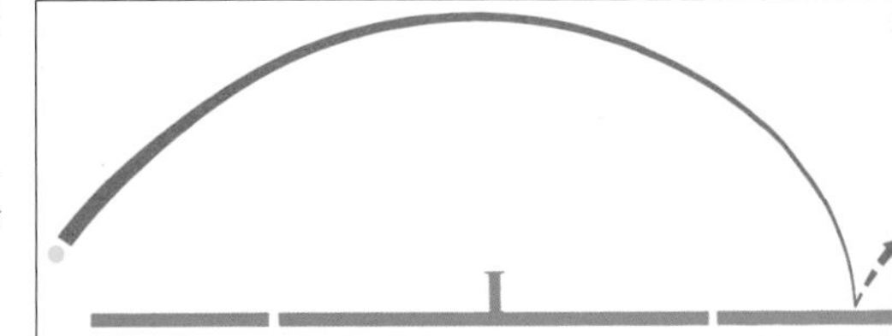

30 LA PRÉPARATION DU LOB

ommencez le lob classique comme un rive, en tirant la raquette derrière vous uand vous vous tournez de profil. étendez votre coude à la fin de la réparation pour faire décrire une oucle basse à la raquette. Avancez et morcez le swing de la raquette vers avant avec une trajectoire nontante très prononcée.

Pointez la main gauche vers la balle pour vous stabiliser.

tilisez la prise le coup droit astern et gardez e tamis de la aquette ouvert.

Portez-vous sur le genou d'attaque quand vous amorcez le coup de raquette vers l'avant.

QUAND TENTER UN LOB
Le lob peut être un bon coup d'attaque. Lobez votre adversaire et montez au filet pendant que lui court, dos au filet, pour rattraper la balle ; ou tentez un lob assez tôt en cours d'échange pour faire douter votre adversaire.

31 LES TACTIQUES DU LOB

l est préférable de frapper des lobs profonds : es lobs courts sont souvent interceptés par les oueurs de filet. Lobez votre adversaire du côté le l'épaule qui ne porte pas la raquette et sur on revers : il lui sera plus difficile de smasher n lob s'il doit reculer en diagonale pour tteindre la balle. Jouez le lob de revers avec un éger topspin pour que la balle, en rebondissant, éloigne encore plus de votre adversaire.

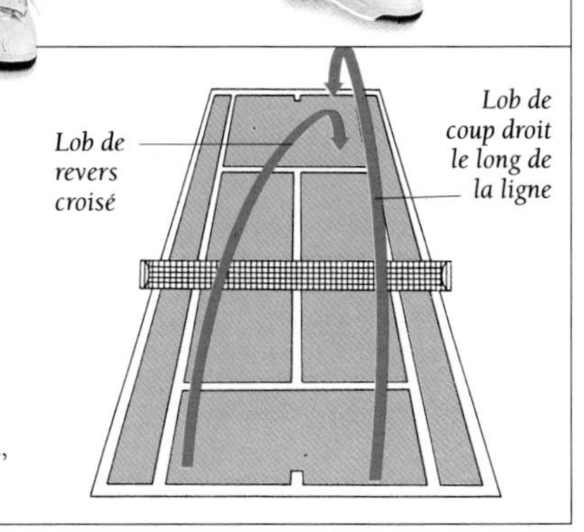

82 LA FRAPPE

En inclinant le tamis de la raquette vers le haut, ramenez la raquette vers l'avant, suivant une trajectoire ascendante profonde, pour l'amener à la rencontre de la balle à hauteur de votre hanche d'attaque. Serrez bien votre prise pour avoir le poignet bien rigide au moment de l'impact. Calculez la trajectoire de la raquette pour arriver à frapper la balle descendante à peu près à hauteur de la ceinture. Peu importe le pied d'attaque choisi pour jouer un lob, vous pouvez aussi varier la hauteur et la profondeur du lob si vous avez un bon appui pour la frappe.

ACCOMPAGNEMENT HAUT
Après l'impact, laissez votre raquette monter dans la zone de frappe et accompagner la balle au-dessus de votre tête.

Gardez la tête droite et les yeux fixés sur la balle.

Ramenez la main gauche vers l'arrière pour vous stabiliser pendant la rotation pour la frappe du coup.

Inclinez le tamis de la raquette vers l'arrière pour lifter la balle, mais pas trop, sinon le lob serait trop court.

La jambe fléchie pour favoriser le brossage lifté se tendra pour accompagner la balle.

83 LE SMASH PARFAIT

Le smash sauté représente le geste en léplacement par excellence ; il permet de :ompenser tout manque d'allonge et de faire ace efficacement aux lobs profonds. Pour bien ouer ce coup, il vous faudra développer votre ritesse et votre facilité de déplacement à eculons de profil, ainsi que votre détente rerticale. Utilisez le pas chassé ou le pas croisé our la course à reculons.

LA TRAJECTOIRE DE LA BALLE
Près du filet (A), frappez un smash piqué pour faire rebondir la balle par-dessus la tête de votre adversaire. Plus en arrière (B), smashez la balle en profondeur.

Laissez la jambe droite croiser la gauche dans un mouvement en ciseau au moment où vous frappez la balle.

Frappez la balle, en hauteur et devant vous, en allongeant complètement le bras qui porte la raquette.

Prenez appel sur la jambe arrière pour smasher la balle avant qu'elle ne plonge derrière vous.

Réceptionnez-vous sur la jambe gauche après avoir frappé la balle en suspension.

Une fois en suspension, faites descendre la tête de la raquette en position de lancer.

84 LE JEU DE JAMBES

Pour aligner des smashes apidement, orientez-vous de profil par apport à la trajectoire de la balle, uand vous vous placez derrière et sous a balle. Le pas chassé et le pas croisé ous aideront à vous placer orrectement. Le jeu de jambes pour le as chassé est simple, mais le pas croisé lemande un peu d'entraînement.

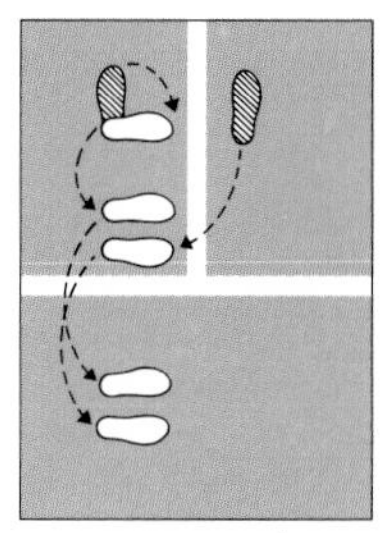

PAS CHASSÉ

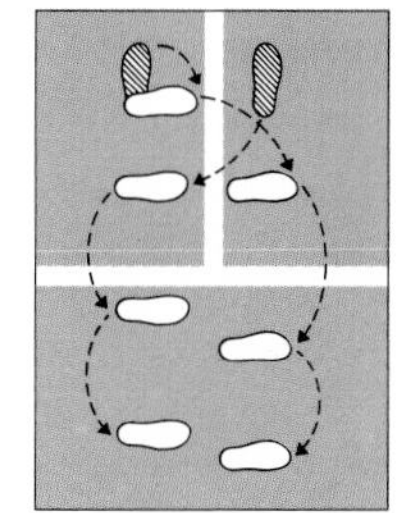

PAS CROISÉ

85 LE POINTAGE

Pivotez de profil, en pliant le coude pour lever la tête de la raquette tandis que vous allongez l'autre bras pour le pointer vers la balle lobée de votre adversaire. Continuez de pointer tout en vous positionnant pour smasher la balle. En prenant tout votre temps pour pointer, vous serez en mesure de bien synchroniser votre smash.

■ Le bras gauche joue un rôle essentiel, car non seulement il vous aide à garder la balle devant vous pendant votre recul, mais il vous aide également à mesurer la moitié de l'allonge du bras qui porte la raquette.

Tendez le bras gauche et pointez-le sur la balle.

Regardez la balle en suivant votre bras.

Gardez le coude bien haut et amenez la raquette en position de lancer.

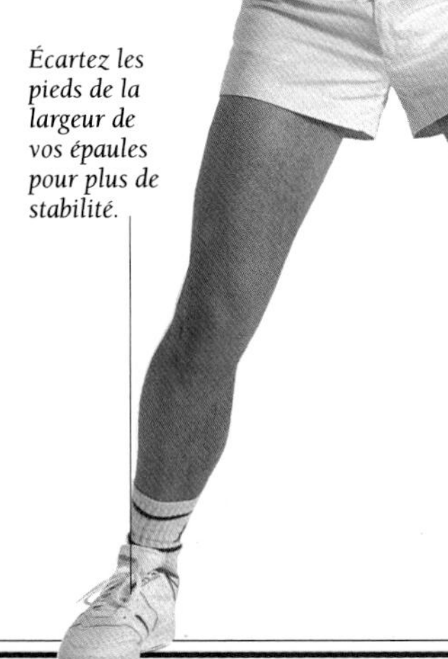

Écartez les pieds de la largeur de vos épaules pour plus de stabilité.

VU DE DESSUS
Pointez la balle quand vous pivotez, tout en amenant la raquette entre vos épaules pour la faire descendre le long de votre dos dans la position du lancer.

86 La frappe

Allongez complètement le bras qui tient la raquette tandis que vous lancez la tête de la raquette vers le haut à la rencontre de la balle. Frappez la balle bien devant vous, avec le tamis à plat, et finissez le coup comme un service. Votre pied gauche vous équilibrera au moment de l'impact. Commencez avec la prise eastern modifiée, vous adopterez la prise continentale après un peu plus de pratique.

Extension complète
En pleine extension, le joueur va au-devant de la balle. Comme pour le service, le bras gauche vous aide à guider votre force vers le haut.

Frappez la balle devant vous, en allongeant le bras qui porte la raquette.

L'épaule pivote puissamment pour projeter le bras à la rencontre de la balle.

Étirez et inclinez tout le corps.

Équilibrez votre corps en transférant le poids vers l'avant, jambes tendues.

Tenez-vous sur la pointe des pieds à l'impact.

87 Les tactiques de smash

Le smash ne peut être utilisé que contre des lobs ou des balles rebondissant très haut. Donc, développez un jeu d'attaque qui contraigne votre adversaire à tenter un lob défensif. Jouez sur son revers. Pour les balles lobées qui montent très haut, smashez après le rebond, mais utilisez la technique du smash sauté pour les balles que vous ne pourriez atteindre autrement. À l'intérieur de la ligne de service, jouez des smashes « piqués » le long des lignes latérales.

La Montée au Filet

88 Les coups d'approche

Le placement de vos coups est essentiel pour la montée au filet et pour le succès de toute attaque. Laissez votre position sur le court et la hauteur à laquelle vous jouez la balle dicter le coup, mais écourtez la préparation du geste pour un meilleur contrôle. Une fois passée la ligne de service, utilisez vos talents de volleyeur.

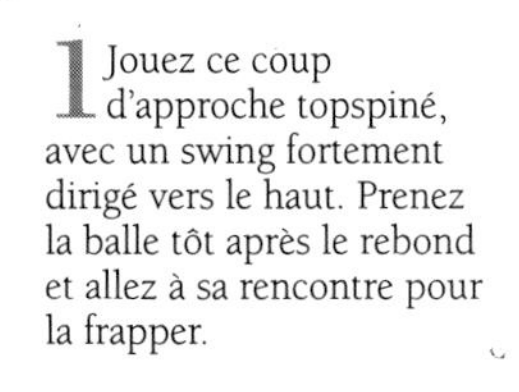

1 Jouez ce coup d'approche topspiné, avec un swing fortement dirigé vers le haut. Prenez la balle tôt après le rebond et allez à sa rencontre pour la frapper.

Rentrez vivement dans le coup, avec les pieds parallèles ou semi-ouverts.

Restez prêt bondir et bien en équilibre.

2 ◁ Suivez la trajectoire de votre coup d'approche puis reprenez vos appuis pour anticiper le retour de votre adversaire.

Frappez en coupant la balle sur les premières volées basses.

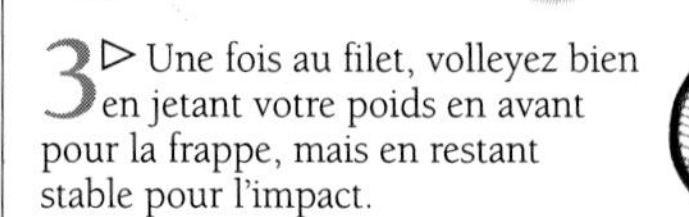

3 ▷ Une fois au filet, volleyez bien en jetant votre poids en avant pour la frappe, mais en restant stable pour l'impact.

89 LES TACTIQUES D'APPROCHE

Pour les tactiques d'approche il ne faut jamais monter au filet depuis une position en profondeur. Allez où vous voulez avant que votre adversaire ne renvoie la balle. Sinon, commencez tôt à avancer en reprenant vos appuis. Le court (*à droite*) montre les différentes zones de jeu. La montée au filet depuis la zone bleu foncé est recommandée ; elle est possible depuis la zone bleue du milieu. Par contre, n'essayez pas d'approche depuis la zone bleu clair, car toute montée au filet serait trop risquée. Mieux, placez-vous derrière la ligne de fond de court et attendez une meilleure occasion.

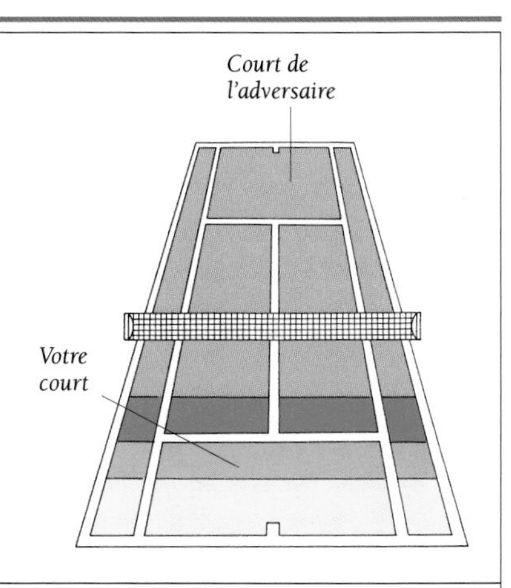

90 LES OPTIONS DE REPRISE D'APPUIS

La reprise d'appuis consiste simplement à interrompre votre course vers l'avant pour reprendre vos appuis, en vous tenant pieds écartés et genoux fléchis, afin de vous mettre dans une position d'attente mobile. Reprenez vos appuis assez tôt pour être bien équilibré dans l'éventualité d'un déplacement latéral instantané en réponse au retour de votre adversaire. Cette reprise d'appuis vous aidera à anticiper le coup et vous permettra de partir rapidement sur la droite pour contrer un retour croisé ou sur la gauche pour intercepter avec une volée de revers un passing le long de la ligne.

RÉPLIQUE EN COUP DROIT

POSITION D'ATTENTE

RÉPLIQUE EN REVERS

91 LE SERVICE-VOLÉE

Le service-volée est une tactique décisive qui peut vous donner le contrôle du filet. Comme pour les coups d'approche, ce sont la précision, le rythme et la profondeur du service qui vont déterminer votre réussite à la volée. Donnez-vous le temps d'arriver à une bonne position de volée, en servant une balle slicée, à 75 % de la vitesse de votre service normal, sur le coup le plus faible de votre adversaire. La réussite du service-volée dépend principalement de votre technique de volée classique. Donc, fixez toujours la balle, réagissez tôt et jouez vers l'avant, en appuyant chaque coup de votre poids.

Coupez autour du côté droit de la balle pour un service slicé.

1 Mettez-vous en position de service et choisissez le type et la direction du service.

Le poignet reste ferme et la raquette est au niveau du poignet.

3 △ Après la reprise d'appui, baissez-vous bien, tout en avançant en travers et en vous accroupissant pour les premières volées basses.

Avancez tôt, avec de fréquentes reprises d'appuis, et soyez prêt pour un déplacement latéral.

2 ◁ Essayez de franchir la ligne de service avant de reprendre vos appuis pendant que votre adversaire joue son coup.

LE MATCH DE TENNIS

92 LES RÈGLES DU JEU

Jouez toujours en respectant les règles du jeu. Tirez à pile ou face celui qui servira le premier. Servez de derrière votre ligne de fond de court, en commençant depuis le côté droit pour le premier point et du côté gauche pour le deuxième. La balle de service doit être frappée avant qu'elle ne touche le sol ; elle doit passer le filet et atterrir dans le carré de service diagonalement opposé. Si votre premier service est « faute », vous pouvez servir une deuxième balle, mais une double-faute donne le point à votre adversaire. Le receveur ne peut retourner un service en volleyant ni laisser la balle rebondir deux fois.

L'ARBITRE
L'arbitre est assis sur une chaise haute, au-dessus du court, et veille à ce que les règles du jeu soient respectées et que le fair-play règne sur le court.

93 PROGRESSER EN JOUANT

Le tennis est avant tout un jeu basé sur la maîtrise, mais il requiert également régularité, profondeur et puissance.

- Cette maîtrise se développe en améliorant vos capacités de lecture de trajectoire et de réception de la balle, afin de pouvoir vous déplacer rapidement et vous positionner correctement pour mieux synchroniser votre geste par rapport à la balle, qu'il s'agisse d'un simple retour ou du meilleur coup que vous jouerez jamais dans votre vie !
- Tout en améliorant cette synchronisation, travaillez la régularité de vos coups pour réduire le nombre de fautes personnelles.
- Après la régularité, ajoutez la profondeur des coups à votre répertoire, afin de maintenir votre adversaire en fond de court et de l'empêcher de monter au filet.
- Enfin, pour contrer ou contrôler l'attaque de votre adversaire, ajoutez la puissance à votre jeu. Utilisez les principes biomécaniques pour augmenter l'élan de votre frappe (*voir p. 19*).

94 LES TACTIQUES SUR LE COURT

Tactiquement parlant, la zone à l'extérieur du court derrière votre ligne de service est appelée le fond de court. La partie du court située entre votre ligne de service et le filet est l'avant-court, la partie du court où il ne fait pas bon rester. Si vous devez jouer un coup depuis ce « no-man's-land », jouez-le et sortez de cette zone aussi vite que possible, avant que la balle ne vous revienne dans les pieds sans vous laisser assez de temps pour préparer votre coup.

■ Vos objectifs tactiques principaux sont de garder la balle en jeu, de faire courir votre adversaire, de le prendre à contre-pied en masquant vos coups et de jouer sur ses points faibles en variant chaque coup.

LA TACTIQUE DU POINT CENTRAL
Ayant atteint un point central assez sûr dans l'avant-court, le joueur qui attaque se décale vers l'extérieur pour intercepter, d'une volée basse, une tentative de passing shot.

95 LA DÉTERMINATION DU POINT CENTRAL

Le point central est le milieu des deux extrêmes possibles du retour de votre adversaire. Une bonne tactique consiste à ne pas se trouver trop loin du prochain point central. Cependant, vous risquez d'être « pris » pendant votre déplacement vers ce point. Pour éviter cela, ralentissez pour observer comment votre adversaire joue la balle. Dans l'exemple ci-contre, le serveur joue un service vers l'extérieur ; le relanceur réplique par un retour croisé profond (rouge), de sorte que son prochain point central sera situé entre les coups possibles (bleus) du serveur. Si le relanceur avait choisi de jouer le long de la ligne, son point central suivant aurait été placé bien au-delà de la marque centrale.

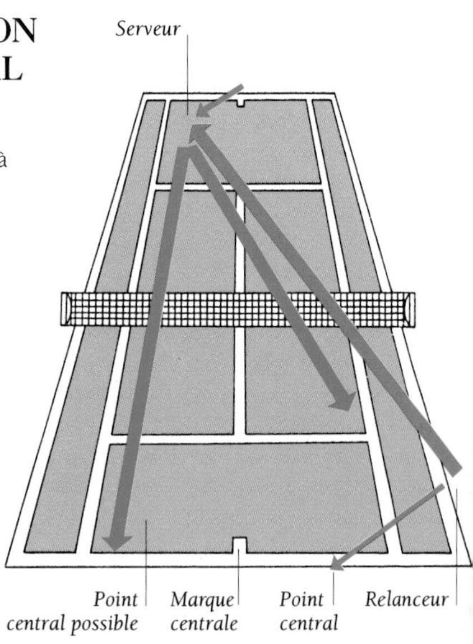

96 JOUER LA SÉCURITÉ

Ce type de jeu consiste à ne jouer que les coups les plus sûrs, ceux qui donneront le plus grand pourcentage de réussite. Le court étant plus long dans la diagonale et le filet plus bas au milieu du court, il semble logique de jouer surtout des coups croisés, hauts et profonds.
Tactiquement, choisissez le coup qui est le plus facile à exécuter, même si vous l'avez déjà joué plusieurs fois dans cet échange. En retour, votre adversaire peut s'impatienter et tenter un coup plus risqué le long de la ligne.

97 LES DOUBLES

À la différence du simple, le jeu en double est avant tout un jeu d'équipe, et vous devez jouer ensemble. Essayez de jouer à la hauteur de votre partenaire, votre but étant de monter rapidement au filet et d'y rester jusqu'à ce que vous ayez gagné le point. Si, au cours d'un échange, vous hésitez sur le placement de votre balle, visez entre vos deux adversaires, pour créer une mésentente entre eux. Une bonne équipe de double met plus l'accent sur le travail d'équipe et sur la stratégie que sur la seule force physique qui est associée au jeu en simple.

INTERCEPTION
Une balle envoyée diagonalement entre vos adversaires est un coup judicieux, mais elle peut être interceptée à la volée par un joueur de filet très vif.

98 LES TACTIQUES DE DOUBLES

Dans les doubles, la surface du court « couverte » par chaque joueur est plus petite que pour le simple. Le but des quatre joueurs étant de monter au filet, il est essentiel de « passer » au moins 75 % de vos premières balles de service, quitte à en sacrifier la vitesse pour préserver la profondeur et la précision de votre service.

- Jouez vos retours de service assez bas au-dessus du filet, à moins que vous ne tentiez un lob. Croisez 80 % de vos retours pour que la balle passe loin du partenaire au filet du serveur.
- Si la montée au filet derrière votre service ou votre retour est trop hasardeuse ou difficile, jouez un coup après le rebond pour mieux la préparer.
- Le partenaire du serveur doit couvrir le milieu du court pour faciliter la montée au filet du serveur.

99 LE PLACEMENT AU SERVICE

Dans un double, un des partenaires joue dans le quart droit du court, l'autre joue dans le quart gauche. Chaque joueur est responsable des coups arrivant dans son quart de court. Si vous entrez dans le quart de court de votre partenaire, il ou elle devra se replacer dans votre partie du court pour couvrir cette zone.

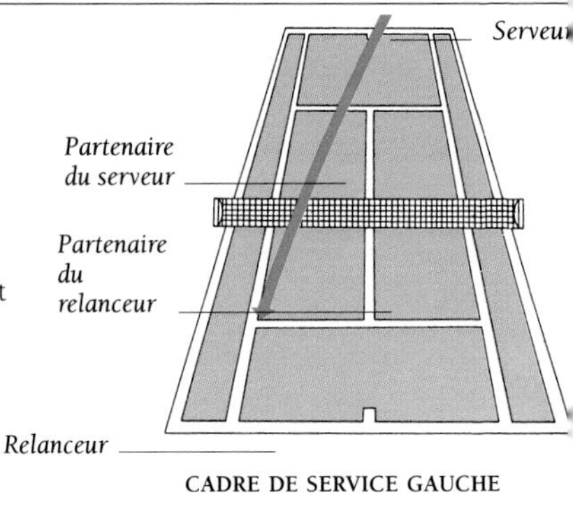

CADRE DE SERVICE GAUCHE

Tenez-vous à mi-distance entre la marque centrale et la ligne de côté pour double la plus proche ; vous y serez le mieux placé pour couvrir tous les retours arrivant dans votre partie du court.

SERVEUR

Adoptez une position d'attaque dans l'autre quart du court, à 2,7 m du filet et à mi-distance entre la ligne centrale et la ligne de côté pour double la plus proche. De là, vous pouvez jouer des volées et des smashes agressifs.

PARTENAIRE DU SERVEUR

100 LE PLACEMENT À LA RÉCEPTION

Pour recevoir les services, partez de la ligne de fond de court dans l'angle du court de simple. Votre partenaire se place à mi-court près de la ligne de service. Quand vous avez choisi qui est à la réception et de quel côté, gardez les mêmes positions pour tout le jeu. Le partenaire du relanceur doit pouvoir avancer au filet ou reculer derrière la ligne de fond, ainsi que contrer une volée au cas où le partenaire du serveur intercepterait le retour de votre partenaire.

Tenez-vous à l'intérieur de la ligne de service, à mi-distance entre la ligne médiane et la ligne de côté du double

Pour retourner les premiers services, tenez-vous derrière la ligne de fond diagonalement opposée au serveur.

101 LE CHOIX DU PARTENAIRE

Jouez avec différents partenaires jusqu'à en trouver un avec un jeu complémentaire au vôtre. Être amis en dehors du court peut favoriser une bonne entente sur le terrain.

- Si vous préférez jouer dans le côté droit du court, trouvez un partenaire qui sera à l'aise de l'autre côté, et vice versa.
- Veillez à être d'accord sur les tactiques à adopter pendant le jeu.

INDEX

M

N

P

R

S

T

V

Crédits Photographiques

Photographies

L'ensemble des photographies a été réalisé par
Tim Ridley, Nick Goodall, et Matthew Ward,
excepté :
Colorsport, p.65, et Robert Harding Picture Library, p.67.

Illustrations

Craig Austin, Paul Dewhurst, Janos Marrfy,
Pete Sargent, et Rob Shone.